Palabras escandalosas

LA ARGENTINA DEL CENTENARIO

Diseño de interior y tapa: Isabel Rodrigué

Daniel Sorín

Palabras escandalosas

LA ARGENTINA DEL CENTENARIO

Narrativas históricas del siglo XX

A863 Sorín, Daniel
SOR   Palabras escandalosas. - 1ª. ed. - Buenos Aires :
        Sudamericana, 2003.
            192 p. ; 23x16 cm. (Narrativas históricas del siglo XX)

            ISBN 950-07-2314-X

            I. Título – 1. Narrativa Argentina

IMPRESO EN LA ARGENTINA

Queda hecho el depósito
que previene la ley 11.723
©2003, Editorial Sudamericana S.A.®,
Humberto I 531, Buenos Aires.

www.edsudamericana.com.ar

ISBN 950-07-2314-X

© Daniel Sorín, 2003

A la bellísima Lucía,
que sabe que aún no se ha perdido

No amo la figura corporal, ni la donosura, ni la luz,
ni la dulzura de las melodías, no amo el aroma de las flores,
ni de los perfumes, tampoco los miembros
terrenales del abrazo, sin embargo amo algo así cuando amo.

San Agustín

PRIMERA PARTE
—
Los actores

El divino cometa

La historia es el orden posible del caos; en ella adultera-
ciones y calumnias suelen mezclarse con verdades y docu-
mentados sucesos. En todas las épocas hubo estudiosos que
lucharon por discriminar las primeras de los últimos, aunque
no siempre con los mejores resultados.

Sin embargo no es raro que una mentira, o una falsedad,
o una inexactitud, encierre tanta o más verdad que una certeza comprobada.

La leyenda dice que, con la mirada clavada en el piso y voz
apenas audible, el gran Galileo habría dicho "eppur si muove".
Pero la famosa frase jamás fue pronunciada por los labios de tan
eminente científico. Lo paradójico es que esta invención escon-
de una verdad profunda e incontrastable, la mano del absolutis-
mo y la obsecuencia, el largo brazo del poder no siempre puede
tapar el sol. No por la infinita eternidad.

También la historia de este país está regada de certezas
ocultas y de irrealidades aceptadas. Más aún, suele suceder
con asiduidad que la certeza es mal interpretada y termina
alejándonos de la verdad; y el mito, aunque virtual, o sea no
real, nos aproxima a la esencia de los hechos.

Antes de romper el lacre el general ya sabía la respuesta:
nada. Habían pasado cuarenta días del encuentro de Guaya-

quil y la situación era aún más desesperante. No le llevó muchos minutos leer el texto de la misiva: efectivamente, los señoritos porteños no le iban a mandar ni dinero ni armamentos. No le iban a mandar nada. Luego de diez años de fatigosas campañas, de tragar el polvo arrastrado por los vientos, de cruzar enfermo y drogado con sus bravos la cordillera, volvería a Mendoza, quedando en Lima el último vestigio de su ejército, el Regimiento Río de la Plata.

Un año y medio después del alejamiento definitivo de su jefe, con sus salarios puntualmente impagos, la tropa estaba poco menos que desnuda y hambrienta. En la noche que fue del 4 al 5 de febrero de 1824, dos sargentos, Moyano y Oliva, sublevaron a la guarnición. No logrando vindicación de sus exigencias debían rendirse ante sus superiores, lo que les traería inevitablemente la muerte frente a un pelotón de fusilamiento; o ante los realistas que el regimiento tenía prisioneros, lo que harían a cambio de sus vidas.

Olvidados por los gobiernos de la patria que nadie como ellos había fraguado, se encontraron ante una oscura paradoja. Es que hay veces que la historia pone a los olvidados ante la necesidad de traicionar para salvar el pellejo.

Después de consumada la conspiración la bandera española fue enarbolada en el torreón Independencia; entonces un negro llamado Antonio Ruiz, por todos conocido como Falucho, se resistió a hacerle los honores al pabellón realista. Gritó ¡Viva Buenos Aires! y fue muerto ahí mismo.

Nunca más se habló del tema hasta que el multifacético Bartolomé Mitre escribió la *Historia de San Martín*, apodándolo, desde allí y por todos los tiempos venideros, el Santo de la Espada. Él fue el primero que habló de Falucho y, basándose en su historia, el poeta Rafael Obligado escribiría con inspiración patriótica y métrica justiciera aquello de:

Alzó el fusil en sus brazos,
Con rugido de fiera,
Y contra el asta bandera
Lo hizo un golpe pedazos.
—¡Ríndete al Rey! —le intimaron,
Mas como el negro exclamó:
—¡Viva la patria, y no yo!
Los cuatro tiros sonaron.

Versos estos que durante décadas fueron memorizados por almas infantiles en las aulas de la patria. Poema que relata un episodio heroico, pero no más cierto que la quimera de que la Reina Isabel pertrechó a Colón con la venta de sus joyas.

No, no existió el tal Falucho, o por lo menos no murió en esas circunstancias, de la misma manera que no fueron joyas reales sino capitales de judíos errantes los que solventaron el descubrimiento del Nuevo Mundo.

No extraña que haya sido Mitre el primero en revelar la existencia del héroe negro medio siglo después de su inmolación. Lo mismo hizo el general memorioso con el tambor de Tacuarí, el niño de doce años que avanzó con su tambor al encuentro de las balas enemigas, y que, si don Bartolomé no se hubiese acordado, se habría perdido para siempre en las tinieblas de la historia.

Pero volvamos a Falucho. Sin duda, de haber existido tan dramático sacrificio hubiera quedado la debida constancia; pero no se conserva documento alguno comprobatorio, ni de manos patriotas ni de puño godo.

Sí se encontró en los registros a un Antonio Ruiz, pero ese Ruiz —que como todos los negros del ejército del Libertador también era apodado Falucho— no pudo haber muerto en 1824, pues vivía aún muy felizmente casado hacia 1830 en la bella y graciosa ciudad de Lima. A ese Falucho y no al supuesto mártir del Regimiento Río de la Plata se refería San

Martín —tan minucioso en anotaciones y registros, como noble para honrar a sus soldados— cuando le comentaba al general Miller su sincera satisfacción al enterarse de la buena estrella "del célebre y nunca bien ponderado Falucho".

Pero ¿por qué?, ¿cuál fue el motivo de este invento poético de la mente patriota de don Bartolomé?

Al momento en que Mitre escribió la historia de quien cruzara los Andes, el país imaginado por los hombres de Mayo estaba muriendo y nacía en su lugar otro, al ritmo de los emigrantes europeos. Mitre, uno de los arquitectos del nuevo país, creyó sin duda necesario conservar las raíces del moribundo, guardar las utopías de los hombres de la Revolución, atesorar las hazañas del general masón. Anclar, en definitiva, el barco de la nueva Argentina gringa al fondo del mar, a la Argentina heroica de la emancipación. Para eso creó un mito, un héroe perteneciente a las clases más bajas, humildes y abnegadas de la patria.

No es de extrañar, nada hay más potente y fundacional que el mito. Todas las naciones se construyeron alrededor de mitos, porque, al fin, los pueblos que no pueden erigir mitos no merecen asentar nacionalidad.

Pero aclaremos. Aun en este supuesto nada ha robado el historiador a la historia, ya que en dicho caso Falucho es irreal, pero no falso. Porque es fácil encontrar en la historia de aquel viejo país agonizante muchísimos Faluchos, cuya memoria no ha tenido la fortuna de llegar hasta nosotros.

Es que los ejércitos libertarios contaron con escuadrones enteros de negros que dieron innumerables muestras de heroísmo en Vilcapugio, Ayohúma y Sipe-Sipe, en Cerrito, Chacabuco, Maipú, Talcahuano y Pasco. Contrapartida del imaginario Falucho y ejemplo de lo anterior fue el Regimiento de Pardos y Morenos que el 31 de diciembre de 1812 bloqueaba la plaza fuerte de Montevideo. Ese día fue atacado por la retaguardia por dos mil trescientos hombres con ocho piezas de artillería, comandados por el general Vigodet.

Antonio Videla, capitán de la compañía de Cazadores, estaba de avanzada cerca de la panadería de Muiños, en la línea misma donde la carga fue más terrible. No se intimidaron ni él ni sus subordinados por aquella formidable masa de atacantes y sostuvieron su puesto como fieras sin retroceder y sin rendirse. Muertos casi todos sus hombres, Antonio fue intimado con las bayonetas sobre su pecho a rendirse y gritar vivas al rey. Pero el negro bravo gritó ¡Viva la patria! y entregó su vida sin pedir clemencia.

Videla y sus hombres fueron admirados por los victoriosos realistas, tantas pelotas habían tenido. Ese negro había sido esclavo y aún tenía una pequeña hija en esa condición; el Triunvirato juzgó indecoroso que subsistiera en la esclavitud el fruto de tamaño valiente y ordenó al Ayuntamiento que costease de sus fondos la libertad que esa niña tan dignamente merecía.

De todo lo cual hay debida documentación.

Los negros supieron ser argentinos con el precio de su sangre, lo fueron una y otra vez hasta que la pobreza, con la ayuda de la fiebre amarilla, terminó con ellos hacia 1870.

Valga uno por otro. El mito mil veces recordado de Falucho se justifica en el sacrificio olvidado de Antonio Videla, hombre real éste, muy de carne y hueso.

Hubo en la historia del país otros mitos como el de Falucho, transformados por la mentira o la imaginería en hombres de carne y hueso. Pero también la metamorfosis más común y opuesta: hombres reales, que existieron carnalmente, devenidos mito.

Suele decirse que la vida del mito es más larga que la de la persona que le diera origen. Esto es así en muchos casos, los mitos amados y los odiados suelen perpetuarse durante largos años, a veces siglos. Pero hay mitos que mueren tempranamente, mitos que, una década después de desaparecer la persona física, se evaporan como perfume. Quedará para antropólogos y estudiosos descubrir la mecánica interna de este proceso; nosotros solamente pretendemos referirnos a uno de ellos.

Siempre hubo en estas playas personajes notables cuyas características estuvieron fuera, absolutamente, del común promedio. Ése fue el caso de Cesare Paganni.

Hubo un momento de particular importancia en su historia: la noche del 31 de diciembre de 1909, en la que produjo un hecho de singulares características y consecuencias. Esto fue, como veremos, después de perder durante aproximadamente una hora y media —dos a lo sumo— todo contacto con la materialidad del entorno y haber sido, según él dijo luego, "transportado a otra realidad que habita más allá de nuestros sentidos".

El diario *La Nación*, periódico de cuya seriedad no podemos dudar, en su edición del 2 de enero de 1910 comentó en la página seis: "… reunido un numeroso público (…) el orador habló acerca de lo que él llamó 'los terribles momentos por venir'. Luego de lo cual se vio salir a la gente allí congregada con visibles muestras de fuerte emoción"[1].

Suele pasar a menudo que la cronografía, y por ende la historia, deja escapar una pieza del collar de perlas que tan trabajosamente arman los estudiosos. No hablamos aquí de

---

[1] *La Nación* volverá a referirse dos veces más a Cesare Paganni en el transcurso de los próximos meses, lo cual pone en evidencia que era más que "un hábil e inescrupuloso publicista que se inventó a sí mismo", como después dijera Leopoldo Lugones; o un "payaso sin público", como lo definiera el doctor Juan B. Justo.

los olvidos deliberados de los historiadores, desmemoria surgida de la necesidad de probar tal o cual arquitectura política, sino de una amnesia casual, de un error del todo involuntario, de un simple e inexplicable olvido.

Tal lo ocurrido con Cesare Paganni.

Conviene para esta crónica tener presentes las debidas circunstancias. El país atravesaba momentos dificultosos; hacía un mes y medio, concretamente el 14 de noviembre, un militante anarquista había atentado con éxito contra la vida del jefe de policía, el coronel Ramón Falcón. El país se hallaba bajo el estado de sitio que sería levantado, como veremos después, el 13 de enero de 1910. Para ese entonces se preparaban las fiestas del primer centenario de la Revolución de Mayo, motivo por el cual llegarían al país figuras mundiales, entre ellas la infanta Isabel de Borbón, mujer de abultadas carnes y campechana simpatía.

En la primera década del siglo el país había duplicado las rentas del Estado, pero también sus gastos. Las finanzas públicas evidenciaban un creciente déficit y un aumento considerable de la deuda pública. Los trabajadores habían conseguido, después de innumerables luchas, bajar a diez horas la jornada laboral que a principios de siglo oscilaba entre las doce y las catorce horas. En los últimos años habían entrado al país casi un millón ochocientas mil personas y se habían ido seiscientas cincuenta mil, de lo que resulta que más de un millón de nuevos trabajadores se habían incorporado a la producción.

Sin embargo existía un clima de malestar creciente en la sociedad, especialmente en las filas de los trabajadores sindicalizados, y se aproximaban nuevas y más grandes confrontaciones sociales.

Pero volvamos a Paganni y a la noche del 31 de diciembre de 1909. Antes de que éste hablase ante "el numeroso público" al que se refiere el diario *La Nación*, a las nueve de la noche, Cesare se preparaba para salir de su humilde domicilio. Se puso el saco y se ajustó el primer botón de su camisa blanca. Después caminó hacia el espejo y miró largamente su rostro como si no fuese suyo; no movió un solo músculo de manera que el espejo le devolvió una imagen congelada en un rictus impenetrable. Cesare observó en silencio esa virtualidad ajena, la barba castaña, los ojos negros, las cejas boscosas, la cabellera larga y los mostachos que casi tapaban las fosas nasales.

Ese último día de 1909 en Buenos Aires llovió terriblemente hasta las nueve de la noche. Es decir que es del todo posible que en el momento en que la mano derecha de Cesare, huesuda y delicada, con largos y hábiles dedos de mago, tomaba el libro que estaba encima de la mesa como quien toma una joya, en Buenos Aires hubiese dejado de llover. Luego apagó la luz, se colocó la joya de lustrosa cubierta negra debajo de la axila izquierda y la apretó entre el codo y el torso.

Cuando Cesare cerró la puerta de la habitación llevó su vista hacia el cielo encapotado. Ya no llovía, pero se levantó igualmente la solapa del saco para evitar que alguna gota olvidada en una hoja entrase por su cuello. Después, dejando detrás de sí la casa de inquilinato, se echó a caminar.

La identidad de Cesare Paganni ha sido motivo de arduas disputas. La versión más extendida daba cuenta de que había nacido hacía cuarenta y cinco años en la villa de Trieste, Italia, de padre peninsular y madre alemana. Afirmaba dicha presunción que su familia paterna descendía de la nobleza florentina, entre sus ascendientes había caballeros cruzados, valerosos penitentes que habían viajado ochocientos años atrás para recuperar el Santo Sepulcro. "Trieste es bellísimo", señalaba, pero no en italiano como debía esperarse, sino en un español seco de acento indefinible.

20

Muy de chico había vivido con su familia en Viena, hasta que a la edad de quince años subió en Amsterdam a un barco de bandera española pero tripulación sajona llamado "Buenaventura". Durante cuatro años sirvió como aprendiz de marinero en los tres océanos y los cien mares del planeta. Después de lo cual estudió en altas escuelas europeas la teología del cristianismo occidental, pero, necesitado de profundizar sus conocimientos, viajó hacia lejanos conventos del Asia donde hubo de rastrear el camino de las tribus perdidas de Israel. También había estado en el Tibet, absorbiendo las milenarias meditaciones budistas y, al fin, había recorrido día a día la vida de Nuestro Señor con los Santos Guardianes de Jerusalén.

21

Eso explicaba, por supuesto, su carencia de modales latinos y el tono híbrido con el que manejaba, no sin oculto desgano, el idioma de Cervantes y Calderón.

Había llegado al país desde una innominada playa del Mediterráneo exactamente nueve años atrás, el último día del año 1900 lo que, según él, era todo un presagio porque el día siguiente —el primero de enero del 1901— comenzaba una nueva centuria.

—El último siglo de los tiempos del Señor —dijo solemne y sin rastro de duda a las frágiles damiselas porteñas.

Astrónomo erudito y consumado astrólogo, hacía de la precisión matemática cuestión de principios. Explicaba entonces que la inexistencia del año cero era la causa de que las centurias incluyesen los míticos años terminados en doble cero. Lo que no podría haber sido nunca de otra manera, considerando que el enigmático invento árabe que expresa aritméticamente la nada inconcebible —el número cero— no existía en los tiempos en que se fijó el calendario del buen Dios.

No obstante, algunos decían que su verdadera filiación era otra. Corría por las calles suburbanas una leyenda de extramuros, oscura e imposible de probar, pero ciertamente verosímil. Según ésta, el tal Cesare Paganni no era italiano de nacimiento sino rumano, natural de la ciudad de Brasov, hermosa localidad situada a los pies de los Alpes de Transilvania. Su padre no tendría relación alguna con los caballeros cruzados ni con ninguna nobleza florentina, sino que había sido un gitano apuesto y calenturiento que había huido de Hungría con su enamorada, una gitana de cabellos renegridos más peligrosa que la mismísima Carmen.

Según esta aseveración su padre habría falseado su apellido como manera de esconderse de la segura y mortal asechanza de la familia de su esposa. La versión sostenía que él no se llamaba Cesare Paganni sino Jozsef Kossuth. Aunque hay quienes, convencidos de la veracidad de esta identidad, negaron la historia del padre gitano y lo hacían descendiente (nieto o bisnieto) del revolucionario nacionalista Lajos Kossuth, muerto quince años antes de que Jozsef (o Cesare) llegase a estas playas sudamericanas.

Por último, hubo quienes estuvieron persuadidos de que él no era otro que Lenau Strauss, un pastor protestante austríaco que hacia 1890 tuvo que dejar apresuradamente su país complicado en un oscuro —y delictuoso— *affaire*, del cual había sido víctima una niña de la comunidad de Kitzbühel, al occidente del país, cerca de Alemania y de los Alpes bávaros.

En 1910 se discutió mucho este tema, tanto en las pobres barriadas sureñas como en ciertos suntuosos salones de finos cortinados, donde aburridas mujeres maduras y jovencitas de inmaculada piel blanca solían escucharlo, mientras devoraban incansablemente sus ojos negros y la gracia varonil con la que movía sus manos.

Nadie sabía dónde vivía porque el tal Cesare, o Jozsef, o Lenau, ocultaba con tozudo esmero el triste conventillo donde por las noches dejaba descansar su cuerpo. Es que estaba convencido de que el conocimiento de los "Secretos Superio-

res" y de la "Realidad Suprasensible", según su léxico esotérico, necesitaba de un maestro digno e, incluso, de nobles
raíces genealógicas. De tal manera, si bien no alimentaba
tampoco negaba el rumor de sus orígenes de nobleza. Lo que
sí hacía era ocultar la indignidad de su vivienda, más precisa-
mente el frío, las humedades y el baño compartido del inquilinato en el que habitaba, sito en la calle Salta a pocos metros
de la avenida que lleva aún hoy el nombre del creador de la
bandera.

Esa noche del 31 de diciembre de 1909, Cesare entró en
la Confitería Ideal de la calle Suipacha, a la altura de los números trescientos, dos horas y treinta y cinco minutos después de haber cerrado tras de sí —a las nueve de la noche—
la puerta de su conventillo.

El trayecto desde Salta y Belgrano hasta Suipacha casi
esquina Corrientes —y esto puede comprobarse fácilmente— no demanda a pie más de veinte, a lo sumo veinticinco
minutos. No puede suponerse que la lluvia, que había sido
copiosa como ya se dijo, lo hiciera resguardarse en algún
lugar porque ésta cesó momentos antes de que saliera de su
domicilio. No consta detención policial alguna, pero sí que
más de treinta personas fueron testigos de lo que hizo Cesare
Paganni durante parte de las dos horas y media que van desde
las nueve hasta las once y media de la noche (lapso al que
debemos descontar, claro, los veinte o veinticinco minutos
que seguramente le llevó recorrer a pie las once cuadras desde su domicilio hasta la Confitería Ideal).

Cesare Paganni dijo que había entrado en trance a poco
de emprender el camino. Según él, divinos designios limpia-
ron con viento el cielo de nubes (esto último es rigurosamen-
te cierto) lo que le permitió ver y ser atraído —"retenido"
dijo— por el firmamento donde sobresalía la intensa luz del

Lucero. En esa situación le habría sido dada la cósmica revelación del fin del mundo mientras estaba con la vista fija, retenida, en Venus, planeta que representa a la diosa de la belleza y el amor, la esposa de Vulcano, la amante de Marte, el guerrero. Se dijo que había permanecido de pie con la mirada clavada, extasiada, durante todo ese tiempo, en la esquina de Avenida

de Mayo y Carlos Pellegrini, hecho este que fue corroborado por unas treinta personas. Pocos minutos después de las once de la noche, cuando ya el brillante planeta comenzaba a esconderse, Paganni habría recuperado el control de sus actos y, como si nada hubiese sucedido, se dirigió a paso firme a la mencionada confitería, desconocemos si acompañado o no por todos o algunos de dichos testigos.

El diario *La Nación* dará cuenta de lo sucedido en su edición del 2 de enero de 1910. Dirá que Cesare Paganni hizo en ese lugar una descripción, acaso debiésemos decir un detallado inventario de las maldades humanas. "Durante largos minutos el predicador puntualizó uno a uno la larga lista de pecados cometidos a diario por los hombres", dirá sin exageración el periódico.

Cuando Paganni creyó que la enumeración ya era bastante, es decir cuando el ánimo del público concurrente ya estaba por el piso y la angustia se asomaba en los ojos de las señoras presentes —su público se componía cuatro de cinco partes del sexo de la insaciable Lilit— y pese a que aún le quedaba una larga lista de nefastos pecados y malas obras hechas por el hombre, dijo aquello que conmocionó al auditorio y que, por extensión, ensombreció a buena parte de la ciudad que en los siguientes años sería conocida como la Reina del Plata.

Parodiando mal al poeta inglés dijo: "Hay más en el cielo de lo que ustedes pueden observar, y aún más de lo que ustedes pueden suponer".

Entonces hizo pública su reciente revelación.

—Del cielo vendrá la Justicia, de las alturas bajará el Castigo necesario.

Subió los brazos hacia el cielo raso y mirando con furia a la concurrencia aclaró por si hiciese falta.

—¡El fin de los tiempos se acerca! ¡El fin de los tiempos es ya inevitable!

Tomó el libro de negra y brillante tapa.

—Está escrito. ¡Aquí!, ¡aquí mismo está escrito!

El diario *La Nación* terminó el comentario diciendo que el esotérico pastor había dicho que un bólido —tal el término que usó la publicación de la familia Mitre— se acercaba a la Tierra y que de la colisión inevitable con el planeta sobrevendría una hecatombe que terminaría con toda vida.

Sin embargo, la versión periodística no se ajusta totalmente a la verdad. Cesare Paganni anunció, efectivamente, que la Tierra iba, inevitablemente, al encuentro de una masa incandescente que no era otra cosa que el próximo y conocido encuentro con el cometa Halley, pero, a diferencia de otros miles de agoreros que en todo el mundo pronosticaban la destrucción total de la humanidad, él se conformaba con anunciar la desaparición de sólo la mitad[2].

—Morirá una de cada dos almas.

Y no carente de originalidad agregó:

—Morirán los piadosos, los temerosos de Dios, los seguidores del Libro Sagrado. Morirán las almas débiles, los confundidos, los que queriendo acercarse a Dios no han encontrado suficientes fuerzas. Morirán las Magdalenas, los guerreros y los traficantes... y se salvarán los que comercian

25

---

[2] Esto consta debidamente en las memorias de la señora Carlota Varela de Martínez de Hoz, concurrente a la citada reunión del último día de 1909. De esas memorias de un testigo directo, publicadas por la editorial Último Faro en 1963, ha extraído el autor la presente versión.

a la sombra de los templos, los que blasfeman, los que desprecian al Señor, los que han hecho pacto con el diablo.

En los últimos años centenares, acaso miles de individuos en todo el mundo venían pronosticando que el cometa Halley provocaría el anunciado final bíblico. Tantos eran que podemos suponer que en el inconsciente del público de Paganni, presumiblemente tan esotérico como él, existía un fondo de desasosiego, una angustia solapada, un rumor apocalíptico.

Hacia 1909 terminaba la *belle époque*; los tiempos de la abundancia —esos en que los argentinos ricos se divertían en París arrojando, literalmente, manteca al techo— estaban pasando definitivamente. Finalizaba por esos años un ciclo de paz armada y en el aire ya podían percibirse los aromas metálicos de una guerra próxima y devastadora como no se había tenido noticia. La gente, y seguramente también esas mujeres que escuchaban a Paganni, debía tener la sospecha de que los nuevos no serían los mejores tiempos, pero ¿estaba dispuesta a aceptar que fueran tan malos?

Cesare Paganni, teólogo, astrólogo, astrónomo y espiritista, versado en las Santas Escrituras y en los vaticinios de las *Centurias astrológicas* de Nostradamus, predijo, anunció, auguró y prometió él también el fin del mundo. Y lo hizo con la alegría, el contento y la satisfacción de quien ve en eso redención y salvación.

Lo que lo hizo particular y distinto a los otros miles que profetizaron en el año 1909 igual desastre es que para él sería en dos etapas. Primero los malos, después los peores.

—Malditos los que se salven porque sólo prolongarán su agonía.

Sorpresa. Ojos abiertos, miradas que no entienden.

—Siete.

Blandió la Biblia como un arma.

—Siete es el número dictado por el Señor, del siete habla la *cabbalah* del pueblo de Dios.

Silencio.

—¡Siete años vivirán los que subsistan!

Sus labios construyeron una sonrisa.

—Pero en el octavo sobrevendrá una plaga inaudita, una plaga que cegará los sentidos, que oscurecerá el pensamiento, que ahogará las almas. ¡Será el fin! —gritó—. Un fin infestado de pestilencia, de líquidos biliares degenerados, de manos crispadas y de costras en la piel que provocarán el peor de los dolores. ¡Entonces, los que no mueran querrán haber muerto!

Estupor.

Alguien, extrañamente, dijo "amén".

Después explicó que un desprendimiento del cometa divino provocaría, al estrellarse en el polo (no aclaró cuál de ellos), las consiguientes convulsiones atmosféricas que hundirían al planeta en la noche y enviciarían el aire.

—¡Oremos porque Dios nos arranque la vida ahora!

Ésa fue la última reunión que pudo realizar Cesare Paganni: su público no gustaba de promesas tan tortuosas y oscuras. Además, para algunas jóvenes, su belleza física no justificaba semejante mal trago.

Entre esas jóvenes damas que conformaban su auditorio se encontraba la señorita Adela Luccini, quien en los siguientes meses contraería enlace con un abogado de treinta y cinco años que dedicaba sus horas de ocio al estudio de la filosofía, llamado Adalberto Layo. Esos esfuerzos prenderían en el tercer hijo de ese matrimonio, venido como tantos vástagos menores por la confusión que provocan los últimos ciclos fértiles de las mujeres. Bernardo, tal su nombre, tendría una breve y trágica notoriedad muchos años después, durante los sucesos de los años setenta, pero eso es otra historia. Adela conservaría muy a su pesar una terrible sensación de desasosiego, una ácida impresión causada por las terribles premoniciones de Paganni.

Si bien como sabemos por propia experiencia, el cometa Halley pasó por el firmamento sin mayores consecuencias que un increíble artificio de luminarias, las predicciones acerca del fin del mundo contribuyeron a la común angustia de la época. Posiblemente esta sensación se confundiese con la congoja, con la zozobra, que provocaban anuncios nada halagüeños que hablaban de la inevitabilidad de una futura guerra. Sea como fuere, más de un alma argentina quedó presa de una nunca confesada inquietud.

Rebeca

En las vísperas de su centenario no era fácil manejar aquel país. Meses antes de la alocución de Cesare Paganni, el joven Simón Radowitzky, al grito de "viva la anarquía", había arrojado una bomba que terminó con la vida del jefe de policía, el coronel Falcón, y la de su secretario. Se desató entonces en el país una feroz represión contra el movimiento obrero. Poco importaba si los detenidos tenían algo que ver con el homicidio, tampoco si eran o no anarquistas. Durante dos meses las cárceles se poblaron de centenares de activistas y simpatizantes de las organizaciones sindicales y los partidos de izquierda. Claro que el desorden había empezado antes, bastante antes.

Décadas atrás las más notables cabezas argentinas habían diseñado un país nuevo inspirado en la doctrina universal del progreso, y lo hicieron de manera indubitable, porque no es posible la duda ante los grandes y definitivos desafíos. El reto era realmente gigantesco. Progreso quería decir, por ejemplo, cambiar la geografía misma de las pampas; porque el progreso imponía incorporar la Argentina al mundo como productora de granos y carnes y esto significaba incluir, o mejor dicho mutar, el desierto en tierras fértiles, hábiles para la producción agropecuaria.

Por si semejante reto fuese poco había, aún, otro problema: el desierto estaba ocupado. Por toda su extensión lo habitaban indios y gauchos, hombres que desconocían el trabajo, indiferentes a la acumulación de riquezas de la manera en que Occidente la entiende. Ninguno de los geniales arquitectos de la Argentina del siglo XX pensó en ellos como fuerza de trabajo del naciente capitalismo. Solamente algunos locos, como el díscolo Mansilla cuando, ofuscado por ser dado de baja de la Guardia Nacional, escribió *Una excursión a los indios ranqueles*; solamente algunos pocos como el gordo Hernández, que había compuesto un poema en el lenguaje de la chusma, él, que nunca había tenido luces de poeta.

Pero hacia comienzos del nuevo siglo la transformación ya se había hecho realidad: indios y gauchos habían sido reducidos, y una nueva fuerza de trabajo había bajado, presurosa, por las angostas escalerillas de los barcos.

La inmigración fue tan cuantiosa que no siempre resultaba posible discriminar la paja del trigo. Sarmiento, el visionario, la cabeza más notable de su época, se dio cuenta pero no pudo evitarlo. Por algo no quería latinos ni negros ni judíos; él amaba la laboriosidad sajona. Había visto personalmente a la gran democracia del norte, con su pujanza arrolladora y ese ímpetu que tienen las razas de hombres de acción.

De todo esto nada sabía don Cesare Paganni. Él, sabio en las Escrituras, creía llegar a una tierra nueva carente de pasado, estaba dispuesto a predicar en un desierto virgen y, ciertamente, sin memoria. Pero con él, y antes que él, llegaron otros europeos, menos piadosos y preocupados por los deseos del Señor.

Como sabemos, al principio fue el verbo, siempre es el verbo. En 1858 se imprimía un periódico que decía defender a los hombres de color, dicho periódico tenía un extraño y premonitorio nombre, *El Proletariado*. Después vendrían *El Comunismo*, *L'Operaio Italiano* y exóticos nombres como *El Vorwarts*, *L'Avenir Social*, *La Rivendicazione* y los más castizos *La*

30

Luz, El Descamisado, Periódico Rojo, El Obrero, El Perseguido, La Protesta Humana y *La Vanguardia.*

Tanto verbo al final rebasa el cántaro.

En 1887 se creaba La Fraternidad, organización gremial que reunía al personal de locomotoras. Las cosas iban mal.

"Habló primero un señor alemán, enseguida hizo uso de la palabra un francés, luego tres italianos y un español... Había muy pocos argentinos, de lo cual nos alegramos mucho." Así comentó *La Nación* la celebración del 1° de Mayo de 1890.

Ese año en Inglaterra Oscar Wilde publicaba *El retrato de Dorian Gray*, al siguiente Cézanne pintaba el *Retrato de mi esposa* y en 1892, mientras José Martí fundaba su partido libertario en Cuba, Claude Debussy, en genial rapto, componía *La siesta de un fauno.*

Mientras tanto en el país la depreciación del papel moneda afectaba seriamente a la industria y al comercio y todos culpaban al presidente Juárez Celman. No era un secreto que Aristóbulo del Valle, Bernardo de Irigoyen y Bartolomé Mitre conspiraban; el descontento popular crecía y un hombre de larga barba blanca, abogado de profesión, parecía ganar el favor de las almas: Leandro Alem. Tal era el descontento que hasta el victorioso del desierto, el zorro, Julio Argentino Roca, se confabulaba en contra de su cuñado el Presidente.

Para penuria del régimen las cosas pasaron de castaño oscuro, el 26 de julio los hombres de Alem hicieron estallar la Revolución del Parque de Artillería. La escuadra se unió a los amotinados y atacó la Casa de Gobierno; junto a Alem combatían el general Campos y su propio sobrino —el joven Hipólito Yrigoyen— a quien la proclama revolucionaria adelantaba como futuro jefe de policía. Con ellos, codo a codo, estaban cuatro mil civiles armados que usaban boinas blancas como distintivo.

El Presidente embarcó para Rosario y las operaciones

quedaron a cargo del gringo Carlos Pellegrini y del ministro de Guerra. Se prepararon para resistir mientras esperaban el ataque de los rebeldes, pero éste no se produjo. No sabían por qué. Al final de largas deliberaciones el gobierno decidió pasar al ataque. Venció, pese al entusiasmo rebelde; porque las huestes de Alem se habían quedado sin municiones.

Esos cuatro días de balazos conmovieron al país y quebraron su historia. Porque, aunque el movimiento fracasó, tendría consecuencias decisivas para las décadas futuras. Aquéllos fueron los días en que el payador radical Gabino Ezeiza dio un giro notable a la payada tradicional incorporando los desvelos políticos a sus versos. Y nunca ha sido poca cosa pasar de la justa queja a la adhesión combativa.

Días antes del movimiento revolucionario, el 29 de junio de 1890, ocurrió un hecho que pasó totalmente desapercibido, pero importante para la presente crónica: se creó la Federación Obrera Argentina. Lejos de los clubes donde los políticos del régimen decidían quiénes serían los gobernantes, apartados de la "política criolla" y de sus caudillos, los hombres del trabajo industrial, una reciente clase obrera de zapateros, carpinteros y tipógrafos, daban vida a su organización sindical.

Hacia mediados de la última década del siglo —al tiempo que Antonin Dvoøák estrenaba, impresionado como estaba después de su visita a los Estados Unidos, su rutilante sinfonía del *Nuevo mundo*— en estas riberas meridionales De la Cárcova, deslizándose entre sugerentes y vitales claroscuros, pintaba *Sin pan y sin trabajo* y aparecía el primer ejemplar del semanario *La Vanguardia*, órgano oficial del Partido Socialista.

También se inauguraba la Avenida de Mayo, aún rodeada de baldíos y construcciones inacabadas, y las calles del centro de la ciudad adquirían cada vez más el intenso bullicio del comercio. En esa Buenos Aires comenzaba a ser famoso otro payador llamado Betinoti que, a diferencia de Gabino Ezeiza, merodeaba las huestes socialistas.

Para males posteriores de la nación, en el exterior ya se hablaba de la Argentina como "el granero del mundo" y un frío 1° de julio, mientras viajaba en su carruaje, se mataba de un balazo en la sien el más grande de los caudillos del momento, el doctor Leandro Alem. El estupor y el dolor recorrieron los barrios, el patriarca los había dejado solos.

En 1897, mientras la gente se preparaba para el nuevo siglo, dos jóvenes radicales, Hipólito Yrigoyen y Lisandro de la Torre, se batían a duelo. El lance prometía ser severo, a sable con filo, contrafilo y punta. Lisandro era un experto, no así don Hipólito que a las apuradas debió aprender los rudimentos del arte de la esgrima. Pero el fuego pudo más que el conocimiento y, propietario de varias cicatrices en la cabeza, la nariz, mejillas y brazos, Lisandro tendría de allí en más que usar barba para ocultar las secuelas de su derrota.

Los finiseculares habitantes de la Reina del Plata empezaron a circular por las calles, ahora invadidas por los tranvías, con sus coches. El tránsito, que se ordenaba por la mano izquierda, aumentó insospechadamente su caudal.

No obstante las reiteradas crisis financieras la nación progresaba, el capitalismo, aunque en su modesta versión de productor de materias primas, había llegado para quedarse. Es cierto que hubo períodos de dificultad financiera y momentos de gran desempleo, también es cierto que tanto en los días de expansión como en los de contracción económica florecieron las huelgas.

—A socialistas y anarquistas, maximalistas y sindicalistas nada les viene bien —le dijo a un colega el senador Miguel Cané. Tal aseveración fue dicha en los pasillos parlamentarios el mismo día de junio de 1899, horas antes apenas de que el senador presentase al cuerpo legislativo su proyecto de ley de expulsión de extranjeros. Mala suerte tuvo el autor de *Juvenilia*, su proyecto fue rechazado. El país del orden, el que despreciaba las ideas extremistas, tuvo que esperar otros tres años para ver promulgada la ley de Residencia. Entonces sí se pudo expulsar lo indeseado.

El último día del año 1900, como hemos visto, arribaba a estas tierras Cesare Paganni; aún restaba una década para que éste hiciese su último acto público en la Confitería Ideal. En el invierno de ese año de 1900, entre multitudes de barcos, llegaba también al puerto de Buenos Aires desde la lejana Esmirna una nave gris con centenares de emigrantes, entre ellos, con los ojos abiertos y el corazón palpitante, una niña llamada Rebeca.

Todo el barco era gris. Grises las paredes de la bodega, gris el piso y gris el techo; así era aquel recinto rectangular ubicado a estribor donde de noche descansaban las cincuenta mujeres. Rebeca sabía que había otro igual, igualmente gris, igualmente rectangular, exactamente triste, situado a babor. En él una cantidad apenas menor de varones sobrellevaban, de parecida manera, las vicisitudes cotidianas.

Rebeca había embarcado en Esmirna dos meses antes de cumplir cinco años y ahora viajaba hacia un país desconocido, más allá de la inmensidad infinita de las aguas.

A la mañana temprano, apenas el sol asomaba en el horizonte, se escuchaba el sonido de una sirena. Entonces debían levantarse, preparar las camas e ir a cubierta. El olor era insoportable, frente a la bodega, en un pequeño cuarto había dos tachos, dos tachos grises, que durante la noche habían servido para evacuar los cuerpos. Uno para lo sólido, otro para lo líquido.

Pasaban todo el día en cubierta sin posibilidad de volver a la bodega. Sólo podía quedarse aquel que estuviese enfermo lo que, por las condiciones de alojamiento y comida, no solía ser extraño.

Rebeca integraba una familia de judíos sefardíes asentada

en Turquía, país que, como sabemos, bien recibió a los descendientes de Abraham después de que los Reyes Católicos los expulsasen de sus reinos.

Su padre había nacido en Egipto, en la magnífica y legendaria ciudad de El Cairo. Era un hombre emprendedor, más bien aventurero, dueño de una mirada profunda y a su vez inquisidora, que necesitaba ensanchar sus horizontes y se había propuesto progresar en nuevas tierras. Su nombre era Yomtov, que en la lengua de sus ancestros quería decir buen día, y acaso por eso era un hombre esperanzado. No dejaba mucho atrás, o, mejor dicho, ya lo había hecho cuando salió para siempre de su ciudad natal y recaló en Esmirna, donde quedó prendado de una joven de cuerpo breve y sinuoso, mirada seductora, sonrisa encantadora y un optimismo a prueba de todo, la bella Victoria.

La familia de la madre de Rebeca llevaba algo más de cuatrocientos años en Esmirna. Durante cuatro siglos habían, ellos y los demás judíos, convivido en armonía en esas playas acariciadas por el mar Egeo. Habían importado de los reinos de Fernando e Isabel las habilidades en el manejo del comercio, como otros el ejercicio de la profesión hipocrática o las labores artesanales que tenían que ver con la indumentaria. La vieja familia que se hundía en los tiempos había conservado dos tesoros de la hermosa península ibérica: una llave, símbolo de la esperanza de que antes del final de los tiempos llegaría la justicia, y podrían volver para abrir la pesada puerta de una casa perdida y un idioma, notable fidelidad que viene a confirmar la eterna dictadura del verbo.

Rebeca viajaba acompañada, además de Yomtov el aventurero y de Victoria la optimista, por una hermana cinco años mayor de nombre Berta. Durante los largos días con olor a sal su madre y su hermana sacaban de sus bultos las finísimas prendas de hilo que habían creado más con sus almas que con sus manos. Eran ropas blancas como las nubes quemadas por el sol, con delicadísimos bordados y la gracia de tradiciones inmemoriales. Pero no se las ponían porque el gris plomizo de ese barco sucio rompería el encanto delicado, la sutileza y la dulzura de aquellas fragilidades.

Solamente una tarde las mujeres habían conseguido que les permitiesen volver por unos minutos a la bodega, entonces, cuando ya listas subieron a cubierta, sus cuerpos resplandecían con las hermosas prendas. Era casi el atardecer; traían un pequeño atado y, cuando los demás emigrantes hicieron un círculo en rededor de la sorprendida Rebeca, abrieron el pequeño bultito que escondía un manjar dulce que habían conseguido gracias a la complicidad de un marinero. Cantaron y todos festejaron el cumpleaños de la pequeña. Hasta el hosco capitán hizo sonar la sirena y los ojos de la niña se inundaron de alegría.

Un día el barco amaneció con afanoso trajín. Los marineros iban de un lado para otro con baldes y cepillos en mano y la nave se llenó de laboriosos bullicios. Limpiaban la cubierta y las escaleras, los pasillos y los salones espaciosos, del todo desconocidos por los humildes emigrantes. Rebeca se extrañó con semejante tráfico de útiles de limpieza y fue a ver a Marco, un marino italiano de ánimo alegre que, nostálgico de su pequeña hija María que había dejado en Cerdeña, siempre trataba de satisfacerla en lo que de él dependiera.

—¿Qué pasa, Marco? ¿Por qué tanto barullo?

—Ves, Rebeca, ves aquel peñasco.

—Sí, qué pasa.

—Es el estrecho.

—¿Qué estrecho?

—El estrecho de Gibraltar, niña.

Rebeca no comprendió. Iba a preguntar, apenas supiese qué preguntar, cuando escuchó la voz del buen italiano.

—¡Es que allí suben los españoles, mujer!

—¿Los españoles?

—Sí, los españoles.

—Pero, ¿es que los españoles no somos nosotros?

Esa niña sefardí no podía comprender tamaño despropósito, nadie en el barco pudo convencerla de que los españoles eran aquellos señores y señoras que ahora mismo estaban subiendo por las escalerillas de la nave. ¿Quién tenía más derecho que ellos a ser español? Que ellos, que habían bien guardado la llave y la palabra. Que ellos, que habían conservado por cuatrocientos años, generación tras generación, una fidelidad sin ventajas, un amor sin lucro, una ilusión tan dulce como las blancas prendas de sus mujeres. No, eso le resultaba absolutamente imposible, y, pensándolo bien, lo era; tamaña fidelidad a una tierra, semejante amor a un idioma no admiten posteriores despojos. De manera que ahora no podían decirles que ellos no hablaban español sino ladino, que para ser español había que hacerse la señal de la cruz y rezarle al Niño Dios, porque, aunque los marineros no lo entendiesen, aunque el mismo capitán no lo aceptara, ellos eran españoles, muy españoles.

Rebeca, bañada en llanto le pidió a su madre que le mostrase otra vez la llave y, con el corazón partido en mil pedazos, volvió a acariciarla con un beso.

Dos años antes de esta travesía oceánica un tío de Rebeca, el amado Elías, hermano mayor de su madre Victoria, había traspuesto las mismas aguas para llegar a la tierra nueva. Un día gris, un día de aire pesado, en el que se suspendían de la atmósfera una multitud infinita de pequeñísimas gotas, había llegado a la ciudad de Nueva York.

Elías era lo que podría decirse un hombre medianamente apuesto, especialmente cuando se acicalaba para los bailes y las fiestas familiares. Rebeca lo recordaba perfectamente, afectuoso y chispeante en las reuniones de *Yom Kippur*. Tenía, además, un cierto aire mundano que lo hacía atractivo para el sexo opuesto y una gracia irresistible que lo transformaba en el preferido de los niños. Rebeca lo recordaba con claridad por el doble motivo de ser mujer y niña.

Hombre que había leído una respetable cantidad de libros en su vida, que además tenía gusto por la información y que, para esa época, había visitado tres o cuatro grandes ciudades europeas, entre ellas la increíble París, no podía creer lo que tenía delante de sus ojos. Nunca había imaginado que aquella ciudad cosmopolita sería así, que lo sorprendería como lo hizo. Encima de la cubierta del barco, debajo de la delicada llovizna, Elías miró a Nueva York, monstruosa, bellísima, delirante.

Trabajó alternativamente de lavacopas en un restorán de dueños irlandeses, en la despensa de un siciliano y en el taller de compostura de calzado de un judío llegado de Hungría. Dormía en un cuarto húmedo con otros tres emigrantes: dos italianos del sur y un argentino de Córdoba, que acompañándose con la guitarra cantaba milongas y zambas en las que Elías creyó reconocer una indisimulada semilla española. Él y Ramírez, "el gaucho Ramírez" como le gustaba que lo llamasen, hablaban, casi, el mismo idioma.

Se hicieron amigos. Ramírez no se quedaría mucho tiempo, no podía con su nostalgia. Después del trabajo se reunían en la pensión, iban juntos a los baños públicos y se bañaban con el agua fría pero limpia que salía a través de los agujeros de un largo caño que iba de pared a pared. Después compraban algo para comer. Dos veces por semana se daban el gusto de comprar medio litro de un vino rojo que aún conservaba el sabor de la fruta, y volvían a la pensión para darse un festín.

Los emigrantes comen despacio. El dinero no sobra y la comida suele no alcanzar, de manera que es necesario prestar atención cada vez que los maxilares aprietan la comida. El descuido en este aspecto es sólo propiedad de los que nunca han tenido hambre; porque los que alguna vez fueron devorados por la serpiente venenosa que habita el estómago de los hambrientos saben bien que el alimento no es un don natural con el que Dios premia a sus criaturas, no forma parte del orden natural de las cosas. Claro que no. Es algo que hay que conseguir, incluso arrebatar, algunas veces con dolor, siempre con esfuerzo.

Corría el año 1898. En la primavera de ese año Elías conoció a otro argentino de nombre Octavio Palacios. Octavio era un joven de veintiún años, simpático y vivaz. Locuaz como era, le contó durante largas horas sobre una lejana ciudad meridional llamada Buenos Aires. Fue la primera vez que a Elías se le pasó por la cabeza, aunque fugazmente, la posibilidad de intentar suerte en un lugar donde las barreras idiomáticas fuesen menores.

Octavio Palacios ha sido un personaje interesantísimo y, aunque no es motivo de estas páginas, vale la pena una pequeña digresión. Había nacido en 1877, hijo natural de otro personaje no menos interesante, Aureliano Palacios, abogado, oriental, para la fecha radicado en Buenos Aires.

Cuando Octavio tenía catorce años, la mañana del 19 de febrero de 1891, caminaba por la calle Cangallo acercándose a su intersección con 25 de Mayo, acompañado por su amigo Tomás Sambrizzi. Tenían los ojos abiertos, esperaban un coche. De pronto observaron que Eduardo, el hermano menor de Tomás, de once años, cruzaba la calle: era la señal esperada; efectivamente, un coche acababa de doblar y avanzaba hacia ellos. Casi sin darse cuenta lo tuvieron delante, adentro viajaban el ministro del Interior, el general Roca, y su secretario Gregorio Soler. Entonces Tomás, que como Octavio tenía apenas catorce años, hijo de italianos, lomillero de oficio, le disparó un balazo al ministro. La bala llegó a rozarle la espalda y terminó amortiguada en el relleno de crin del respaldo del asiento.

Los detuvieron y, después de que el ministro les propinase unos buenos bastonazos, él mismo los llevó a la comisaría. La cosa no pasó a mayores, se alegó que era "una cosa de chicos".

Octavio tenía un hermano, Pablo, que al momento de su visita a Nueva York estaba a punto de ser diputado a la legislatura de Buenos Aires por el conservadorismo. También era hermano de un joven por ahora desconocido, Alfredo L., que poco después se transformaría en el primer diputado socialista de América.

Lo cierto es que Octavio le contó a Elías innumerables maravillas, muchas ciertamente injustificadas, de su tierra bárbara y palabras como Argentina, Buenos Aires, pampa y gaucho se habían alojado en el inconsciente de Elías. Sin duda así debía ser porque a los pocos meses, sin motivo aparente, estaba otra vez a bordo de un barco, que después de una serena travesía, lo depositó en aquella ciudad de auguroso nombre.

De manera que cuando Rebeca, Yomtov, Victoria y Berta bajaron del barco gris que los había transportado desde la mágica Esmirna, cuando pisaron esa nueva tierra, poseedora también de sus propias hadas, Elías estaba allí mismo en el muelle para recibirlos, loco de alegría.

Rebeca no estuvo mucho tiempo en la ciudad puerto. Con sus cinco años recién cumplidos no le fue difícil dejar atrás Turquía y las playas bañadas por el mar Egeo. Será años después —al volver a Buenos Aires—, que sentirá en el corazón el amargo desgarro del desarraigo.

El fueye

Los años del comienzo del siglo XX, los que corresponden a la primera y fugaz estancia en Buenos Aires de Rebeca y su familia, y de otros actores de esta crónica que aún no hemos presentado, no fueron nada apacibles.

La Argentina reunía las condiciones para ser un magnífico exportador de carnes y cereales. Tenía extendidos territorios que, una vez arrancados al desierto y a sus hombres, estaban en condiciones de producir enormes riquezas. Pero el drama argentino —sin esto es imposible explicar su historia— es que el mayor medio de producción se concentraba en las pocas manos de riquísimos terratenientes. Manos que, ante la imposibilidad de hacer producir dichas magníficas pampas, las arrendaban, constituyéndose en una clase social del todo improductiva, o, dicho menos elegantemente, parasitaria. Interesante diferencia con respecto al desarrollo de los Estados Unidos, donde menos habitaron los latifundios y más los colonos.

Hacia los años que nos ocupan empezaba a desarrollarse una pequeña industria, y lo seguiría haciendo aunque atada por desgracia a los intereses del primer y gran negocio del país: su riqueza agropecuaria.

Nunca fueron tentados los integrantes de nuestra oligarquía vernácula por las ideas de la solidaridad, eso lo dejaron siempre a sus mujeres, que a través de las sociedades benéficas trataron de paliar lo que su misma clase provocaba.

Como hemos dicho, el gran negocio del campo necesitó de nuevas tierras y nuevos hombres; hombres que, sin el debido tamiz, arribaron al país junto con extravagantes y peligrosas ideas. En 1902 el país estaba que ardía. Se habían multiplicado las huelgas, que al decir de un conocido periodista de la época podían cosecharse más abundantemente que los choclos. Entre ellas fue muy importante la de los panaderos, que duró cinco semanas y que después de un gran desgaste terminó en derrota para los huelguistas. Durante ese conflicto las fuerzas policiales allanaron el local de la Federación Obrera Argentina, que a su vez era sede de dieciocho entidades gremiales. Los policías no anduvieron con mayores cuidados, rompieron muebles, libros y los cuerpos de quienes encontraron.

Poco después se declararon en huelga los portuarios pidiendo un menor peso en los bultos sin rebaja de salario. El conflicto se extendió y esta vez fueron las patronales las que tuvieron que ceder.

También hicieron huelga los peones del Mercado Central de Frutos: cinco mil solicitaron el reconocimiento de su entidad gremial, la abolición del trabajo por tanto y a destajo, la jornada de nueve horas y el aumento del jornal. Los ferroviarios se solidarizaron con los huelguistas y el 21 de noviembre lo hicieron los conductores de carros y cocheros. El movimiento creció como un fuego descontrolado, hasta que la Foa declaró la huelga general.

El pánico se apoderó de la oligarquía gobernante. Entonces, quemados por las llamas, algunos, arriba, se miraron buscando una salida.

Se declaró el estado de sitio y el gobierno intensificó la represión, allanó locales y detuvo dirigentes. El 22 de noviembre el Poder Ejecutivo presentó ante ambas cámaras la ley de Residencia, el sueño largamente acariciado por el senador Cané. El Ejecutivo podía ordenar sin inútiles trámites judiciales la expulsión de todo extranjero cuya conducta comprometiera la seguridad nacional o perturbase el orden público.

Acudieron al Senado para defender el proyecto el ministro del Interior, Joaquín V. González; el de Hacienda, Marco Avellaneda, y el de Relaciones Exteriores, Luis María Drago. La posteridad, como premio, usaría sus nombres para otorgárselos a sendas calles de la ciudad puerto.

43

El senador Pérez señaló el carácter sedicioso de las huelgas, y por esa razón, dijo, la ley no apuntaba contra ellas sino contra la subversión. Ése era el motivo por el cual las facultades emergentes de la Ley tenían que ser conferidas al Poder Ejecutivo y no a la Justicia. Se trataba de obtener remedios rápidos "y no tardíos como sería el caso de trámites morosos".

Antes de morir, Manuel Gómez dijo algo muy distinto que Antonio Ruiz, el imaginario Falucho. Rencoroso y doliente, Gómez no dedicó su muerte a la Patria.

Manuel Gómez, cabo de la Guardia Nacional, tuvo una participación heroica en el sangriento asalto de Curupaití, en la Guerra del Paraguay. Permitió el retroceso ordenado de sus camaradas peleando con una bravura sin límite y quedando solo en el campo de batalla con su cuerpo perforado por el fuego enemigo e imposibilitado de caminar. Evadiendo a los bravos paraguayos durante días, se arrastró con seis balazos en el cuerpo hasta dar con los aliados brasileños.

Después el alcohol le jugó una mala pasada y terminó fusilado por matar a un cristiano. Nada pudo hacer su jefe y amigo, el coronel Mansilla, para evitar el paradójico desenlace. Manuel negó hasta el último momento la autoría del asesinato del proveedor del ejército y de alguna manera tenía razón: en sus pesadillas había matado a otro hombre. Estaba convencido de que había dado justa muerte a un tal Guevara que lo había tratado de cobarde en el campo de batalla, delante mismo de la tropa. Ese maldito Guevara lo había abofeteado injustamente mientras arreciaba el fuego enemigo. ¡A él!, capaz de jugarse la vida y las pelotas como nadie. Ningún hombre podía dejarse humillar así. Durante semanas había acumulado un rencor que le destrozaba las tripas más que las balas paraguayas; no podía seguir viviendo de esa manera, tenía que lavar su honor.

Y eso fue lo que hizo pero, borracho como una cuba, confundióse de hombre y terminó matando al sujeto equivocado. De forma que, frente al pelotón de fusilamiento, ese gaucho no gritó como Falucho ¡Viva Buenos Aires!, sino que exclamó, con sincero odio, algo que nadie pudo negar. Su pensamiento quedó flotando en la atmósfera húmeda y fantasmagórica de una guerra que no ha dado orgullo a las armas de la nación.

—¡Así paga la Patria a los que saben morir por ella! —sentenció Gómez, y tenía razón.

Manuel Gómez había tenido en su Corrientes natal, en el curioso poblado de Esquina, una pequeña hija de nombre Deolinda con una india de cuerpo sedoso y ojos de primavera. No habría motivo para contar aquí su triste historia si no fuese porque en 1885, casi veinte años después de que Manuel Gómez conociese el Misterio, nacía en Alcorta, provincia de Santa Fe, su único nieto de nombre Santiago y apellido Romero.

Contaba Deolinda que el padre de Santiago había sido un gran payador, pero que su hijo nunca llegó a conocerlo. Romerito, como le decían al hijo de Deolinda, nunca fue a la escuela, de manera que no habría aprendido a leer y escribir, como sus padres y sus abuelos y sus antepasados más allá de la memoria, si no hubiese sucedido un hecho casual sumado a la fuerza de una vocación.

Veamos cómo fueron las cosas. Cuando el pequeño Santiago tenía cinco años Deolinda trabajaba en una estancia en la
zona de Alcorta. La pobre mujer se esmeraba en aprender las
labores domésticas; de sobra sabía que la situación de sirvienta de una señora era, de lejos, lo mejor que podía esperar en
la vida. Y, efectivamente, había aprendido lo básico ayudada
por una negra llamada Sara, cuya familia había trabajado para
la familia de los patrones desde los tiempos virreinales y lo
habían seguido haciendo después, ya libertos. El único problema que tenía Deolinda era que su crío mantuviese la boca
cerrada y las manos quietas, tan travieso era el potrillo.

Por esa época los patrones esperaban a una institutriz
inglesa para la mejor educación de sus tres hijos, un varón y
sus dos hermanas menores, mellizas y apenas más grandes
que Santiago. Pero la institutriz inglesa de nombre Margaret
Smith fue derivada por la agencia de contrataciones hacia otra
estancia en la provincia de Córdoba. Fue un error involuntario pero afortunado, porque la reemplazante obligada de la
señorita Smith, famosa en su barrio londinense por su agrio
carácter, fue una maestra francesa de una dulzura solamente
comparable a la delicadeza de su voz.

Jeanne educaba a los niños como los indios amansaban a
los caballos, con amor y alimento; mientras que la agria
Margaret lo hacía a la manera cristiana, mostrándoles lo inevitable de la crueldad humana.

Lo primero que le llamó la atención a Romerito fue el
encantador malabarismo con el que mademoiselle Jeanne
manejaba los cubiertos. Después fueron aquellos labios delicados, apenas enrojecidos por el rouge, y la piel blanca, y los
ojos entre verdes y grises, y la manera de hablar, con ese
acento gringo y esa dulzura que a él, por las noches, lo hacía
soñar.

Santiago se enamoró a los cinco años de aquella joven
francesa que lo quintuplicaba en edad. Poco importaba la

diferencia. El amor hizo que el enamorado estuviese encanta-
do de ayudar a su madre y de llevar tal o cual cosa a la señora,
doña Petrona, cuando ésta observaba las clases de la nueva
institutriz.

Fue así que una vez el pequeño Santiago, morocho y
chúcaro exponente de los habitantes de la pampa infinita,
quedó petrificado, sin gobierno de un solo músculo de su
cuerpo cuando, llevando el mate recién cebado a su señora,
entró en la amplia sala donde Jeanne estaba cantando una lied
de Schubert acompañándose en el piano.

Prestemos atención a la escena porque ejemplifica notablemente parte del devenir del país naciente. Ese niño
travieso, a veces arisco y siempre callado, que tenía la mirada ladina y oblicua de indios y gauchos, fue atraído por las
notas creadas medio siglo atrás por un joven genio europeo
que había muerto tuberculoso y loco de amor. Su corazón
palpitó ensangrentado por tal belleza. La señora Petrona se
dio cuenta del impacto feroz en esa alma pequeña, vio las
lágrimas apenas asomadas a los párpados y paró en seco con
una seña a Deolinda, que ya corría a sacarle el mate de las
manos a su hijo.

Ese día Romerito descubrió un mundo.

De manera que la señora dejó que Santiaguito observara
las lecciones de la joven maestra. Pero la joven, docente con
vocación, se esmeró más allá de sus obligaciones. El niño
aprendió a dominar el abecedario, a manejar los números y a
cantar, junto a las mellizas y a su amor imposible.

Cuando Romerito tenía catorce años acompañó a un
amigo, un italiano pecoso y retacón, a darle una serenata a su
enamorada. Para ese entonces tocaba con cierto arte la guitarra y su voz potente era exquisitamente afinada. Esa noche, a
la luz de la luna, vio que los ojos de aquella novia campera
preferían los suyos a los del hombre prometido. La cosa terminó en un duelo y un relámpago de cuchillos, afortunada-

mente sin mayores consecuencias, debido a la inexperiencia de los duelistas.

Sea porque se había hecho de una mala e injusta fama, sea porque necesitaba nuevos aires, lo cierto es que al año siguiente Romerito decidió bajar a Buenos Aires. Antes de despedirse de su madre le dijo que iba a conocer a un hombre famoso, tenía en un papelito anotada su dirección en los suburbios de Buenos Aires. El suburbio era Flores y el hombre en cuestión, amigo entrañable de Alem y de Yrigoyen, era Gabino Ezeiza, el más famoso y notable payador de la nación.

Pero no llegó a conocerlo, no por lo menos en ese momento, porque algo se le cruzó en el camino. El mismo día en que la pequeña Rebeca llegaba con su familia a la ciudad de Buenos Aires, Santiago Romero entraba a una especie de pulpería citadina, en un suburbio porteño. Ese día conoció un pequeño y raro instrumento que se expandía y contraía de extraña forma y a un negro que lo tocaba con la mirada extraviada. Uno era el bandoneón, el otro Sebastián Ramos Mejía.

Ese día, también, descubrió un mundo.

En 1829, en la ciudad de Viena, un señor llamado Damián modificó unos instrumentos de viento conocidos como tipótono y guimbarda. Le agregó entusiasmado más lengüetas que se ponían en movimiento gracias al soplido del ejecutante. Pero tantas lengüetas colocó —ya dijimos que estaba entusiasmado con su invento— que el instrumento ganó en peso y tamaño por lo cual fue imposible tocarlo a partir del aire de los pulmones. Tal problema fue solucionado agregándole un fuelle que accionaba la mano izquierda, mientras la derecha abría y cerraba las válvulas metálicas que permitían o negaban el paso del aire.

Unos años después un ingenioso luthier de Krefeld lo perfeccionó y lo fabricó en escala. Hay quienes piensan incluso que ese sujeto, de apellido Band, fue el único inventor del instrumento. Sea uno u otro lo cierto es que Band inmortalizó su apellido al bautizar su creación como *bandolium*, nombre que con el tiempo se transformó en bandoneón.

El bandoneón no fue hijo de la casualidad sino de la necesidad. Hacia 1830 en Alemania se necesitaban más órganos, pero órganos baratos y, de ser posible, capaces de reproducir la música sacra en espacios abiertos. Band trató entonces de crear un órgano portátil que conservase en algo la solemnidad majestuosa de aquel instrumento.

Primero los bandoneones tuvieron cuarenta y cuatro teclas y se tocaban colgados del cuello como su primo el acordeón. Pero después las teclas subieron a cincuenta y tres, luego a sesenta y cinco y por fin llegaron a las setenta y uno. Cada vez fue aumentando su peso, de manera que llegó un momento en que los ejecutantes abandonaron la correa, pasaron a apoyarlo en sus muslos y adoptaron la posición más cómoda de estar sentados.

Como sabemos, para ejecutar su teclado se usan ocho dedos, dejando libres los pulgares, salvo el de la mano derecha que tiene a su cargo accionar una válvula que permite tomar aire al instrumento.

Nunca supo Band todo lo que le debe la música del siglo veinte. El señor Band no tuvo idea de la genialidad y la repercusión de su invento, ya que éste no consiguió en su época el éxito buscado, no suplantó al órgano y no fue incluido en los oficios religiosos al aire libre. Además, su espíritu solemne y sus bajos grandiosos no parecían propicios para las danzas populares germanas, llenas de alboroto y cerveza.

Pero en la historia ocurren cosas extrañas.

Se cree que el primer bandoneón que se escuchó en tierra argentina fue, durante la Guerra del Paraguay, el de un soldado llamado José Santa Cruz. Terminada la guerra, Santa Cruz se empleó en el Ferrocarril Oeste y cuando la empresa inauguró el teléfono del ferrocarril, el primer sonido que éste transmitió fue el de su bandoneón.

En los últimos años del siglo los lupanares portuarios de la ciudad de Buenos Aires asistieron al nacimiento de un fenómeno maravilloso, el tango. Esa nueva criatura, aplaudida dos décadas después en todo el mundo, no conoció de entrada el invento del señor Band. En su configuración musical intervenían en sus comienzos el violín, la guitarra y la flauta. Debió justamente a este último instrumento el ritmo alegre y juguetón de sus inicios.

Quien hace conocido e introduce el bandoneón en el tango es un joven mayoral que guiaba la yunta de caballos de un tranvía. Era un mulato descendiente de esclavos, sus antepasados habían pertenecido a la familia Ramos Mejía y habían conservado, después de libertos, el apellido de sus amos. Este pardo se llamaba Sebastián Ramos Mejía y ejecutaba con entusiasmo no carente de arte su bandoneón de cincuenta y tres teclas en los cafetines de mala muerte de la Gran Aldea transformada ya en puerto cosmopolita.

Músico autodidacta, intuitivo y sensible, hombre humilde y trabajador, gustaba del tango. Y el tango, música de arrabales barrosos, de hombres pobres e iletrados, también de criminales y prostitutas, de marginales, pero, en todo caso, música nacida de los derrotados, de los excluidos por el progreso, gustó del sonido quejoso y amargo, triste y nostalgioso del bandoneón. Un sonido que se conjuga en pasado. Tango y bandoneón se amaron y se transformaron mutuamente.

Sebastián Ramos Mejía tocaba de manera simple el instrumento. Por ejemplo lo hacía sólo en apertura, ya que el endemoniado bandoneón al cerrarse hacía que las teclas llamasen a otras notas. Como alguien dijo, para tocarlo hacía falta la inteligencia de los locos. Pese a lo dicho, Sebastián Ramos Mejía tuvo muchos alumnos, como José Piazza, que a su vez años después enseñaría a un muchacho que haría historia, Pedro Maffia. Otro de los discípulos de Ramos Mejía fue Romerito.

El joven guitarrero y payador se transformó en bandoneonista y tanguero. Dicen que para dicho cambio lo ayudó su extraordinario talento para la música, pero que la causa fue su natural debilidad por las mujeres. Efectivamente, Romerito había heredado la apostura varonil de su abuelo a la que le agregó las dotes de un conquistador irresistible para el sexo opuesto. Sexo con polleras que en ese tiempo empezaba a preferir el nuevo ritmo suburbano a las viejas coplas pampeanas.

La Boca del Riachuelo de los Navíos

La Vanguardia del 6 de septiembre de 1903 anunciaba la conferencia del ciudadano Manuel Ugarte, que se llevaría a cabo en la Sociedad Operai Italiani y versaría sobre "Las ideas del siglo".

Ugarte era un joven intelectual de mente despierta y apasionada, trabajada, modelada por una cultura enciclopédica. Universitario y humanista poseía, además, la apariencia física y la galanura necesarias que lo hacían encantador para las mujeres.

Claro que en los ámbitos barriales donde los jóvenes intelectuales de ideas de izquierda desenvolvían su actividad tenía varios rivales, entre ellos un caballero que apenas había sobrepasado los veinticinco años, vestido siempre de riguroso oscuro y sombrero ladeado, moño, zapatos lustrosos y con el amplio bigote de moda en la época, que él perpetuaría en su rostro por siempre. Dicho galán, abogado que dominaba el intrincado laberinto de las leyes, y que atendía en su estudio gratis a "pobres y trabajadores", se llamaba Alfredo Palacios.

Manuel ya había desarrollado sus ideas acerca de las justificaciones culturales y políticas del divorcio, lo que le había valido el aplauso y reconocimiento de las activistas feministas. La noche en que Ugarte disertó en la Sociedad Operai Italiani fue muy importante en su vida y no poco relevante para el país. Esa noche en la que se hizo presente en el lugar su rival y amigo Palacios, Manuel Ugarte fue invitado a integrar las filas del Partido Socialista.

Manuel sintió una conmoción en su corazón cuando el enviado de Nicolás Repetto, en nombre del Comité Ejecutivo, le dijo que ya era hora de que su lucha por los ideales de la clase obrera y el socialismo tuviesen el grado de organicidad —eso dijo— que suponía el Partido. Por supuesto que Ugarte ya sabía que se lo iban a proponer, incluso hay quienes creen que la invitación de esa noche no fue la primera que el partido de Juan B. Justo le había hecho. No obstante lo esperado, Manuel sintió que le transpiraban las manos, no era hombre de prometer sin intención de cumplir y entrar al Partido era prometer muchas cosas, entre ellas una irrenunciable fidelidad.

Después de que Manuel Ugarte aceptara el ofrecimiento buscó con la mirada a Alfredo Palacios; él también se había hecho rogar, aunque por motivos diferentes. Manuel sonrió al pensar que una personalidad libre y desordenada, con tan poco apego a la disciplina como la de su amigo Alfredo, estaba dentro del Partido y ahora mismo era candidato a diputado para las próximas elecciones. Quizás la filiación partidaria de semejante personalidad lo haya decidido. Manuel tenía una callada admiración por aquel hombre, aún no había llegado el momento del distanciamiento, la traición y el duelo a pistolas.

Aceptó. Lo hizo con la misma convicción y sinceridad con que años después se apartaría de algunas de esas ideas y dejaría el Partido. Buscaría entonces las raíces nacionales en el cuenco del pensamiento latinoamericano. Con razón o sin ella, que no es motivo de estas líneas ahondar en la inacabada discusión, lo cierto es que ambos, Manuel y Alfredo, cada uno a su manera, con sus más y con sus menos, fueron tenaces, constantes y escrupulosos en la fidelidad a sí mismos.

Mario cerró cuidadosamente la puerta de la habitación para no despertar a su padre, después caminó por el patio hasta la puerta de calle. La mañana por suerte no tenía el bochorno con que solían amanecer los días de verano en estas orillas del Río de la Plata. Mario había nacido hacía trece años en la eterna Roma, pero no recordaba nada de la ciudad que supo construir un imperio que abarcó innumerables tierras desde Egipto hasta Bretaña.

Lector aplicado, sabía Mario que llevaba la sangre de un pueblo porfiado, incapaz de darse por vencido, cuyas fuerzas sólo fueron superadas por sus sueños. Conocía su historia que ya recorría tres milenios. Mil años antes de que el joven nazareno fuera bautizado en el desierto por Juan, las tierras de la bella bota que se hunde en el Mediterráneo estaban habitadas por tribus dispersas de hombres con el cuerpo cubierto de pieles. Eran hombres rudos, armados con cuchillos y puntas de hierro y piedra, que devoraban con entusiasmo la carne de los animales que arduamente cazaban.

Esos hombres no construían ciudades, apenas algunas pobres villas y sus respectivos cementerios. Durante siglos esas tierras y esos hombres fueron conquistados por tribus africanas, asiáticas y europeas. Llegaron y arrasaron los etruscos; bajaron por los Alpes las turbas gálicas hacia las costas del Mediodía italiano y Sicilia; se multiplicaron las colonias griegas e hicieron puerto los astutos navegantes cartagineses.

De todos ellos aprendió ese pueblo.

Durante siglos la ciudad en la que él había nacido, Roma, luchó trabajosa y sangrientamente por conservarse libre, hasta que, despertada por los hilos invisibles de la historia, se transformó de sitiada en conquistadora. Invadió primero la Galia Cisalpina e Istria, hasta que toda la península quedó unificada; después extendió su dominio hacia España, Grecia y Cartago; llegó al Asia Menor desde donde habían partido siglos antes los etruscos, ocupó los Balcanes, Siria y la remota Arabia. Alcanzó Egipto, la lejanísima

53

Nubia y el desierto prometido por el dios de los hebreos al pueblo de Abraham. Los hilos invisibles de la historia exigían al animal humano tiempos de unificación para el mundo mediterráneo.

Ese pueblo, constructor de un magnífico imperio, había caído después, porque todo lo que sube baja luego, y, porfiado como suelen ser los pueblos, había producido su propio renacimiento.

Esa mañana agradable de verano Mario no pensaba en la historia del pueblo italiano, sino en la suya propia. Había dejado Roma cuando tenía un año; lo hizo con su padre Giuseppe, obrero carpintero que tuvo que dejar el país a causa de sus ideas socialistas, y con María, su madre, que pese a estar enferma no quiso que su hombre se fuese solo. Mario siempre se había preguntado cuál habría sido el desenlace si su madre no hubiese hecho la agotadora travesía. Giuseppe le había dicho que María no hubiese resistido sola, la mujer era puro amor por ellos. Llegados a Buenos Aires empeoró la tuberculosis y su madre los había dejado.

De manera que el carpintero había cumplido los roles de padre y madre; lo hizo como pudo, no sin amor y con la natural sabiduría que suelen poseer algunos hombres comunes en circunstancias extraordinarias. Pocas veces les había faltado pan, aunque nunca, jamás, había sobrado. Para Giuseppe, socialista como era, el saber era tan necesario como el pan, de manera que había educado a su hijo en las ideas de Marx y Engels apenas lo juzgó capaz de comprender.

Claro que el pequeño Mario ya había empezado a comprender cuando en brazos de su padre iba a las conmemoraciones de los 1° de Mayo. Entonces había observado la multitud de caras labradas por el esfuerzo y las agitadas banderas rojas que eran el símbolo de los obreros.

Los que obran, los que hacen.

Supo, desde siempre, que él era uno de ellos.

Esa mañana de febrero de 1904 en el barrio de la Boca del Riachuelo de los Navíos, barrio de emigrantes italianos, genoveses en especial, Mario caminaba al encuentro de su historia. Ésa era la primera vez que la escribiría solo. Cuando llegó al viejo local estaba amaneciendo, era domingo y nadie poblaba las calles. Dentro del local lo esperaban un hombre, una mujer y un muchacho, delgadísimo éste, que miraba todo con gesto de sorpresa. El hombre le extendió un tacho con engrudo que tenía adentro una ancha brocha.

El chico se llamaba Benito Juan Martín y era el hijo adoptivo de un emigrante italiano, igual que su padre Giuseppe, un carbonero de la Boca que casó con una entrerriana de pura cepa y de sangre indígena, llamada Justina Molina.

El hombre que le diera el tacho con engrudo ahora le estaba dando los carteles a Benito. Después se dio vuelta y les preguntó:

—Compañeros, ¿han desayunado? No es bueno salir a pegar carteles con el estómago vacío.

La mujer, una regordeta simpática de nombre Marta, les trajo unos panes apenas untados con manteca y espolvoreados con azúcar y dos mates cocidos. Quince minutos después el hombre los despidió con un fuerte apretón de manos.

—Adelante compañeros —les dijo como saludo.

Apenas Mario y Benito se perdieron por la esquina Marta le dijo al hombre que, por las dudas, los iba a seguir a la distancia.

—Que no se den cuenta —le dijo Liberto—, necesitan irse templando.

Pero Marta ya no lo escuchaba, maternal como era ya había doblado la esquina y caminaba con los dos purretes, alegre, todavía más infantil que aquellos mocosos, como una criatura durante el recreo de la escuela.

Minutos después Mario embadurnaba una pared que hacía de límite de un baldío y Benito desplegaba el papel. Después de pegado dieron unos pasos hacia atrás y contemplaron la obra con el orgullo que nos brinda la primera hazaña. En el afiche podía leerse con claridad que el Partido Socialista llamaba a votar por Alfredo L. Palacios en las elecciones legislativas del próximo 13 de marzo.

El emigrante genovés Manuel Chinchella había llegado al país con la ilusión de progresar. El buen azar quiso que se afincara en el barrio de la Boca, donde como sabemos vivían muchos de sus paisanos; fue allí donde, entre las casas de chapas multicolores, conoció a una joven entrerriana.

La mujer de tez cobriza llevaba en la sangre los genes del pueblo guaraní. Los guaraníes aprendieron cuando los dejaron, construyendo magníficas misiones con la dirección de los piadosos padres jesuitas, y resistieron después como pudieron, a veces con valor temerario. Él, un emigrante europeo que vino del Viejo Mundo buscando la ventura de una vida mejor, traía, casi sin querer, la cultura de los vencedores, pero él mismo no era más que un laborioso y esforzado trabajador manual, uno de los millones de perdedores que generó siempre el occidente progresista.

Quiso el destino que el matrimonio no fuese fructífero en cuanto a descendencia. Para subsanar esa infertilidad acudieron a la Casa Cuna buscando adoptar a uno de los niños que estaban bajo su amparo. Y como siempre hay un roto para un descosido encontraron lo que buscaban.

Siete años antes de que el joven matrimonio acudiese en busca de un hijo —allá por marzo de 1890— anónimas manos habían dejado un recién nacido a las puertas de la institución. Envuelto en ropitas suaves, con un pañuelo que tenía bordada una flor a modo de frazada, la criatura esperó su suerte. Tenía también un papel donde podían leerse con claridad las letras redondas que decían "este niño ha sido bautizado y se llama Benito Juan Martín".

No sabemos cómo se llamaba la persona que dejó al niño, pero podemos presumir que era su madre. Si era una joven madre sin posibilidades de mantener al pequeño, o una mujer soltera de familia acomodada a la que le daba vergüenza mostrar ese niño no querido, no lo sabemos. Lo que sí se sabe es que fue Benito, un muchachito de siete años cumplidos y no una criatura apenas nacida, el elegido para hacer de ese matrimonio una familia. No hubo en consecuencia secretos en esa familia, no se mintió como se acostumbraba en la época cuando se adoptaba a un lactante, Benito no había sido gestado en el vientre de Justina, no provenía de la simiente de Manuel, simplemente se habían encontrado y estaba bien que así fuese. Encuentro notable de dos mundos y un misterio.

La familia Chinchella era pobre, y fue con grandes sacrificios que lograron ahorrar un pequeño capital que les permitió abrir un negocio de venta de carbón. El hijo fue el empleado del padre en el oficio, lo ayudaba a descargar las pesadas bolsas, a hacer el reparto a domicilio, a atender a la clientela. En fin, a ganarse el pan de cada día. Todas estas tareas obligaban a Benito a despertarse muy temprano y, apenas tuvo las fuerzas suficientes, empezó a bajar y subir por las pasarelas de los barcos con el agobio de una carga que no permitía resuello. Tanta era su delgadez que los trabajadores del puerto lo apodaron "mosquito".

Manuel estaba contento, su pobreza era mucho más de lo que pudo esperar en su tierra. Hombre acostumbrado a recortar las ilusiones a la medida de la realidad y de su escasez, habituado al trabajo duro, curtido en las labores manuales, monótonas, que no requieren del esfuerzo intelectual, el padre se vio sorprendido, y no gratamente, por una costumbre que desde niño tuvo Benito. El mocoso apenas tenía un minuto libre no dejaba de dibujar. No es que al emigrante no le gustaran los dibujos, sino que esa afición estaba reñida con su convicciones, centradas exclusivamente en la seguridad de ganarse el sustento necesario. No lo juzguemos duramente, su corazón también albergaba, como el de todos, un lugar para la poesía y los sueños, es que, simplemente, había pasado demasiada hambre.

Pese a esto Benito, apenas entrada su pubertad, no dejaba de dibujar y pintar en cuanto podía. Le era tan necesario como el aire. Cierta vez estuvo el viejo Chinchella a punto de romper todas sus obras pero la buena de Justina lo hizo recapacitar.

—Es que acaso te falta en el trabajo —le dijo, más como afirmación que como pregunta.

No, Benito nunca faltaba a sus obligaciones.

A escondidas de Manuel, pero con el apoyo de Justina, se anotó en los cursos de dibujo y pintura de una escuela nocturna de la ribera, donde enseñaba el maestro Lazzarri. Asistía a las clases dos veces por semana, los lunes y los jueves, de ocho a diez de la noche. Algunas tardes de domingo el maestro llevaba a sus alumnos a la isla Maciel, a tomar apuntes del paisaje natural. El buen Lazzarri conocía su oficio y enseñaba bien y con libertad. Rara esta condición, y ciertamente nada habitual en los profesores de academia. Lazzarri dejaba rienda suelta, más aún, exigía a sus alumnos que trabajasen con libertad, para que en esa independencia expusieran su temperamento y su propia búsqueda.

Acaso fue el mismo maestro quien le acercó a Benito un libro que le abrió los ojos. Se llamaba *El arte es fácil* y llevaba la firma de Auguste Rodin. Allí el genial francés decía que lo que es fácil para unos no lo es para otros, pero que siempre lo que requiere excesivo esfuerzo de creación no es arte personal. Es decir, no es el camino verdadero para ese artista. Benito no tuvo que preguntarse qué era lo fácil para él, soñaba con el color y el movimiento.

Benito nunca dejó de pintar.

Además, siempre pintó lo que conocía. Y lo que conocía era ese rumor sacrificado de estibadores subiendo y bajando de los barcos anclados; el joven carbonero se transformó en el pintor de la Boca y de su gente. Pronto se atrevió a pedirles a los capitanes que le dejasen trabajar desde la borda; allí, desde la altura, descubrió nuevas perspectivas.

Años después de la mañana que nos ocupa algunos se deslumbraron frente a ese pintor desbordante, endemoniadamente intenso, que arrojaba colores sobre la tela y los extendía con la espátula, en masas de material de sorprendente movimiento y vibración. Diría también un sesudo y sincero académico que después de haber visto a ese muchacho se sentía tan avergonzado que no volvería a pintar motivos de la Boca.

Diez años después de la mañana veraniega en que salió a pegar carteles empezó a ser famoso y a ganar dinero con su pintura. Nunca dejó de pintar a su barrio, a sus hermanos trabajadores y a su esfuerzo. Sus cuadros llegaron a Europa y aún hoy se los ve en los museos, con su torbellino de pura energía y la firma de Quinquela Martín.

Efectivamente el 13 de marzo de 1903 se realizaron las elecciones de diputados. Los candidatos en la cuarta sección fueron Jaime Llavallol, secretario del presidente Roca; Alberto Rodríguez Larreta, presidente de la Junta de Notables y yerno del futuro presidente Quintana; Marco Avellaneda, hijo del ex presidente Nicolás Avellaneda; Miguel Tedín, candidato del Partido Republicano presidido por Emilio Mitre, hijo del ex presidente Bartolomé Mitre; Pablo

Ungaro, vecino de la Boca, y Alfredo Palacios, abogado e hijo natural, por el Partido Socialista.

Palacios obtuvo 830 votos contra 596 de Llavallol, 542 de Rodríguez Larreta, 353 de Marco Avellaneda, 121 de Miguel Tedín y 94 de Ungaro.

Un rayo eléctrico recorrió la barriada ribereña.

Hombres y mujeres se miraron, buscando confirmar que no estaban soñando.

Giuseppe abrazó llorando a su hijo Mario.

El pueblo festejó, sabía que estaba haciendo historia.

El gran Betinoti payó en la calle con Ambrosio Río.

Mario y Benito recorrieron las calles gritando la noticia, no era para menos, la Boca había dado el primer diputado socialista de América.

El violín

El viejo Nathaniel, sentado en el sillón que años atrás le había hecho su amigo Sergei, leía una interesante interpretación de un pasaje de las Escrituras. Era un hombre mayor que ya había sobrepasado los sesenta años y creía que a su edad era merecedor, de vez en cuando, de dejar de trabajar media hora antes de lo habitual y sentarse al lado de un fuego acogedor durante las crudas tardes de invierno.

Nunca había sido tan puntualmente devoto de los preceptos religiosos como Sara, su mujer, pero no dejaba de ser un hombre de fe. Una fe menos encendida y más crítica que la de su esposa pero, a su manera, igualmente sólida.

—Estuve muy ocupado estos años tratando de que a mis hijos nunca les faltase algo para comer —solía decirle a Sara y a sus cuñados cuando le reprochaban que sólo a las perdidas fuese al templo.

—¡No hables así, Nathaniel! —le respondía entonces cariñosamente su mujer.

Alguna vez el marido, molesto porque la esposa lo había asediado toda la mañana para que la acompañase al templo, le dijo levantando apenas la voz:

—¿Es que creés acaso que Dios me va a castigar por no ir, o que me perdonará más de lo que ahora mismo está haciendo si voy?

En ese hombre de tono tranquilo, en ese hombre reflexivo de ánimo siempre bien predispuesto, levantar la voz, aunque fuera un poco como lo había hecho, era equivalente a que ella gritase, enrojecida, a voz en cuello.

Sara no contestó, pero al darse vuelta se le dibujó en los labios una sonrisa.

—¡No creo que Dios se preocupe por si voy o no al templo! —insistió Nathaniel.

Hizo un pequeño silencio y agregó:

—Si los que tanto acuden a la sinagoga, si quienes tanto alaban al Señor tratasen de mejor forma a sus semejantes estarían más cerca de Él.

Para Sara bastaba que su marido fuese fiel a las viejas tradiciones. Que hubiese enseñado a sus hijos acerca de los tiempos heroicos del Éxodo, en que el buen Dios había indicado a su pueblo el camino a través del desierto. Sabía que Nathaniel no ponía el acento en el Todopoderoso sino en Moisés, que admiraba más el impulso humano, carnal y terrestre hacia la libertad que la callada resignación a los designios divinos. Tiempo después de recibir esa contestación de su marido le había dicho a uno de sus hermanos, que seguía insistiendo en que su cuñado no iba lo suficiente al templo, que Dios amaba más a los hombres rectos que a los devotos. El hermano, sujeto versado en las Escrituras, no había vuelto a molestarla con sus quejas, sabía de sobra que Sara tenía razón.

No obstante, Nathaniel no creía inútil ir a los oficios religiosos, pero no porque en los templos Dios escuchase mejor a los hombres, sino porque éstos suelen necesitar un lugar para encontrarse con él. Además, consideraba con razón a su mujer una persona piadosa. Solamente le molestaba la insistencia, especialmente la de cierto cuñado con quien hacía ya treinta años no compartía palabra ni saludo.

El matrimonio había sido, con sus altas y sus bajas, bastante feliz; todo lo feliz que se podía ser en la Ucrania de principios de siglo. Sara, que solía fijarse más en el lado bueno de las cosas que en el oscuro, cuando descubría la preocupación en el rostro de su marido le decía que habían sido afortunados porque el suyo era de los rarísimos matrimonios que no habían perdido ninguna criatura, y ella había podido llevar a buen término sus cinco embarazos. Según Sara eso era una verdadera fortuna.

En realidad esa mujer tampoco era exageradamente observante; no en comparación con algunos de su sangre y de otras familias de Odessa. Pero solía sentir la necesidad de agradecerle a Dios la salud de sus críos —que a esa altura ya eran hombres y mujeres que habían abierto sus alas o estaban a punto de hacerlo— y la afectuosa armonía de su matrimonio. Solamente muy de vez en cuando se atrevía a pedirle al Señor alguna cosa.

Sara le llevó un té a su marido y le acarició los cabellos grises. Se miraron por un momento, entonces Nathaniel vio la sombra del terror en los ojos de su mujer. Sintió una explosión dentro suyo, la historia decía que esa mirada era terrible en una mujer judía.

Nathaniel sentó a Sara a su lado y le preguntó qué le pasaba. La mujer, con la respiración entrecortada, no pudo contener las lágrimas. Sacó una y mil veces el pequeño pañuelo que tenía guardado en la manga izquierda de su abrigo, inútil auxilio para sus ojos inundados de angustia. Era su hijo León el motivo de sus desvelos.

Efectivamente León, un muchacho de unos veintisiete años, que se había recibido de médico el año anterior, estaba en problemas. Noches atrás había acudido para atender a un hombre, una persona absolutamente desconocida para él. Al llegar se encontró con una herida de bala y una profusa hemorragia en el abdomen; lo atendió sin preguntar, eso le había comentado. Quedó en volver a la noche siguiente, pero cuando lo hizo la casa estaba desocupada. Supo por un vecino que después de que él se retirara había llegado la policía del zar.

63

Sara, llorando, le dijo que León no sabía si el paciente era un ladrón o, acaso, algo peor que eso.

Nathaniel trató de calmarla, le dijo que esa noche hablaría con su hijo; ahora creía entender las razones del nerviosismo del joven. Pero los hechos se desencadenaron de manera tan rápida que no permitieron mayores reflexiones.

León llegó a la casa para la hora de la cena, entonces le dijo a su padre, en presencia de toda su familia, que había atendido a aquel hombre y que, con las manos empapadas en en su sangre, había creído improcedente preguntar el motivo por el que había sido herido. Había hecho un juramento y si no era capaz de cumplirlo, le dijo a su padre mirándolo firmemente a los ojos, entonces no merecía ser médico. Al principio creyó que esto no revestiría mayor peligro pero se había equivocado.

Sara trató de contener el llanto.

Acababan de decirle que los hombres del zar habían preguntado quién era el médico que había atendido al hombre.

—Señor, yo no sé si era un ladrón, un asesino o un agitador socialdemócrata. Sólo sé que corría riesgo su vida.

Clara, la hermana mayor de León, entró en pánico, ya veía a su hermano más querido muerto por el frío y las ratas en las prisiones zaristas. No pudo con semejante terror, empezó a gritar y Darío, el mayor de los hijos de Nathaniel, tuvo que hacerla entrar en razones.

Vuelta la calma León explicó que debía irse, y que tenía que ser lo más pronto y lejos posible. No salió de las bocas de Nathaniel y Sara ni una sola palabra de enojo, crítica o disgusto. Más aún, esa noche el padre le dijo a su familia que podían tener miedo pero no vergüenza, porque su hermano había hecho lo que debía hacer y Dios nunca, jamás, tomaría partido por los zares.

Se dio vuelta hacia el armario y, de espaldas, dijo aquella confesión que su hijo recordaría por siempre:

—No sé qué hubiese hecho yo en tu lugar, pero ojalá hubiera actuado como vos.

Entonces sacó algo de un cajón y lo guardó entre las manos de su hijo, eran sus ahorros.

León salió de su tierra antes del amanecer para no volver nunca más, y ésa fue la última vez que vio a su padre. Años después, muy lejos, contaría la historia de esa noche a sus hijos y después a sus nietos, sin poder nunca contener las lágrimas y asegurándoles a sus descendientes que aquel Nathaniel de Odessa, su padre, había sido un gran hombre. Tan grande que fue capaz de mostrar sus propios y escondidos miedos.

León cruzó el Atlántico, pero no lo hizo solo. Resultó que el menor de sus hermanos, David, muy apegado a él, obtuvo el permiso del padre para acompañarlo. Si esto ocurrió porque Nathaniel tuvo miedo de que el menor de sus hijos corriese después peor suerte que su hermano en esa tierra hostil a los judíos, si fue para que León no estuviese huérfano de todo afecto, o si tuvo la clarividencia de que David debía escribir su historia en una lejanísima tierra, es algo que no se ha sabido.

David, un muchachito de dieciséis años, tomó sus pocas ropas y se fue de la casa familiar con el mayor y más amado de los tesoros que él pudiese concebir, su violín.

Dos meses después los hermanos desembarcaron en Río de Janeiro. Qué distancia fabulosa entre la Ucrania natal y Sudamérica. Qué choque cultural entre el pueblo del desierto y su eterna diáspora, y ese Brasil exuberante, con sus playas anchas y cálidas y esa rara mixtura de innumerables tonos de grises entre blancos europeos y negros africanos.

León y David se acomodaron bien, pero hubo de suceder algo que los haría distanciarse. León había entrado a trabajar en un restorán de alta categoría, al año ya estaba del otro lado del mostrador como adicionista. Una noche debía tocar en el local un trío de tango argentino, pero quiso la fatalidad que el violinista se enfermase y no pudiese salir de la habitación de su hotel, para ser más precisos, del cuarto de baño. En conocimiento de esta contrariedad León le dijo a Pascual Reina, administrador, agente y flautista del trío, si quería probar con su hermano David.

—Nunca tocó un tango pero es un extraordinario violinista —exageró.

Reina, hombre más interesado en el dinero que en la música, no quería perder la retribución de las tres noches contratadas, de manera que aceptó inmediatamente. Después del almuerzo León le presentó a su hermano David.

Esa noche el trío tocó maravillosamente, el público pidió varios bises y el dueño del restorán acordó con Reina que el conjunto se quedase tres noches más de las pactadas. Reina se dio cuenta de inmediato de que tenía en sus manos un diamante, un violinista intuitivo no carente de técnica y, además, sabía que ese rusito le iba a resultar mucho más barato que el negro Páez, hasta allí el titular de la formación.

Dos semanas después David conocía Buenos Aires. Aquello era un sueño que nunca había soñado, iba a ganarse la vida como violinista. Esa noche de agosto en que desembarcó en la desconocida ciudad puerto, antes de dormirse en el cuarto de pensión, acarició su tesoro, ese viejo violín en el que había tocado tantas melodías tradicionales. Recordó a sus padres; con los ojos cerrados pasó revista a las caras de cada uno de los tres hermanos que habían quedado en Odessa y a su querido León. Sintió un vacío dentro de él. Esa noche se prometió entender las raíces más profundas de esa música llamada tango de la misma manera que conocía el llanto y la alegría que la tradición de su pueblo había depositado en el violín.

Y lo consiguió. Lo que nunca pudo hacer fue llenar ese vacío que sentía en el pecho. David se afincaría en la Argentina, se casaría y tendría hijos, sería reconocido y apreciado, pero el vacío por aquellos rostros perdidos nunca dejó de estar allí, agazapado. No olvidó las caras y los gestos perdidos del otro lado del océano y, por supuesto, jamás pudo reemplazarlos.

El primer día de mayo de 1904 David llegó a un país que no conocía samovares. Aquí, al calor del fuego, se tomaba una infusión sutil y vigorizante en las concavidades de las calabazas; aquí el vino era preferido a las bebidas blancas; el sol reinaba como en pocos lugares del mundo y los inviernos no tenían la dureza a la que él estaba acostumbrado. Pero aquí como allá la vida era dura, muy dura, cuando se era pobre. Ese país y David se adoptarían mutuamente, a ambos les esperaban momentos cruciales y definitorios.

Ese día, como desde hacía quince años, se conmemoraba la masacre de Chicago de 1886. Socialistas y anarquistas hicieron sus actos por separado. Los primeros se concentraron en Plaza Constitución y caminaron en manifestación a Plaza Colón donde hablaron Dickman, Cúneo, Correa y Palacios. Los segundos, partiendo de la Plaza Lorea, llegaron a la Mazzini, ubicada en Paseo Colón entre Lavalle y Tucumán. Pero sus oradores no pudieron hacer uso de la palabra, cuando se disponían a calentar las cabezas de los presentes con el recuerdo vivo de la masacre, un incidente menor —la obstaculización de un tranvía— desencadenó la represión policial. En medio del griterío se escuchó claramente el estruendo de un arma de fuego. Ésa era la señal esperada por la policía y la represión fue violentísima. Los manifestantes se dispersaron como pudieron pero el saldo fue de dos muertos y decenas de heridos.

La represión no era sólo el producto de la escasa paciencia y el ánimo duro y amargo del jefe de policía, sino la respuesta del orden a la subversión, de las costumbres tradicionales del país a las organizaciones clasistas.

Durante los días lluviosos de abril los socialistas celebraron el congreso de la Unión General de Trabajadores. Allí estuvieron escoberos, obreros del mimbre, fundidores, escultores de madera, metalúrgicos, silleros, horneros, braceros y picapedreros que debatieron junto a los constructores de carruajes, electricistas, torneros en madera, zapateros, herreros, plateros, talabarteros, ebanistas, y curtidores, fotógrafos, confiteros, dependientes de comercios y lustradores de calzados. Estaban, además, la Unión Gremial Femenina y numerosas delegaciones de provincias.

Trataron la abolición de la "costumbre inhumana de hacer dormir sobre y debajo de mostradores y piezas antihigiénicas a los dependientes" y exigieron que en los comercios los empleados vendedores tuviesen un asiento, para descansar en los momentos en que no hubiera trabajo y, claro, la jornada laboral de ocho horas. Ese congreso apoyó la creación de cooperativas y se pronunció contra el trabajo a destajo y la compra de herramientas, bancos y útiles, que los patrones imponían a los obreros de algunos oficios. Aconsejó también a los trabajadores extranjeros obtener la nacionalidad argentina.

Al año siguiente se reunió en Buenos Aires el quinto congreso de la Federación Obrera Regional Argentina, que pasaría a la historia por acentuar su orientación anarquista. En él se declaró "inútil, ineficaz y contraproducente todo pacto solidario escrito con la Unión General de Trabajadores" y se recomendó a los adherentes "inculcar a los obreros los principios económicos y filosóficos del comunismo anárquico". Toda posibilidad de unión de los gremios obreros estaba rota, definitivamente.

Mientras la izquierda acentuaba su división, en lo que ella llamaba con tono despreciativo "la política criolla", la cosa estaba que ardía. El ambiente político respiraba conspiración. El yrigoyenismo, que seguía creciendo en la consideración popular, se había abstenido de participar en las elecciones y despotricaba contra lo que llamaba "el régimen". Preparaba, otra vez, un levantamiento. Las cosas siguieron su camino hasta que, como caen los frutos maduros de los árboles, la revolución se produjo en la noche que fue del 3 al 4 de febrero de 1905. Diversos regimientos de la capital y numerosas guarniciones del interior se sublevaron, mientras algunos ciudadanos se apoderaron del presidente y de sus ministros, exigiéndoles la renuncia. La conspiración de Yrigoyen fracasó y los principales cabecillas fueron detenidos; el gobierno declaró el estado de sitio e inició una feroz represión contra los subversivos radicales y las organizaciones obreras que, aunque ajenas al levantamiento, eran genéticamente enemigas del régimen oligárquico.

A la banda que regenteaba Pascual Reina no le faltaba trabajo, se presentaba tanto en cabarés como en suburbanos prostíbulos de buen nivel. Cada tanto hacía algunas breves giras por las provincias, alternando entonces el tango con la música española. Su violín, ese joven ucraniano de mirada firme, por todos nombrado como el rusito David, frecuentó la noche de los arrabales. El muchacho conoció bien los andurriales aledaños a Buenos Aires, y Rosario y Bahía Blanca, ciudades donde, como en su natal Odessa, fondeaban barcos de innumerables orígenes y destinos. Conoció también las humedades de puerto, las miradas extraviadas, los alcoholes solitarios. Frecuentó mujeres que mal hablaban el español, con sus medias caladas y sus bocas rojas ya sin palabras. Pudo distinguir en las miradas firmes, las que no se desvían, el ánimo pendenciero del ardor rebelde a toda autoridad.

Y supo también del horror.

David era todo oídos, escuchaba con atención casi dolorosa los sonidos. Aprendía y cincelaba en su memoria las melodías de esa nueva tierra y trataba de digerir las palabras de ese idioma rebelde y sonoro. Entre una y otra presentación se acodaba en la barra y escuchaba palabras que muy a menudo no entendía, sonidos que trataba de hacer familiares. Una noche, en ese mar desordenado e incomprendido, escuchó una palabra claramente reconocible: *borsh*. Se dio vuelta y buscó a la persona que pudo haberla pronunciado, ¿cuál de esas mujeres sería? Los askenazis, los judíos asentados en Renania en el siglo X, se distribuyeron a causa de las persecuciones en los territorios convecinos de Europa central y oriental. Construyeron un idioma, el yiddish, que significa lengua judía. Ocho de cada diez palabras provinieron del alemán, algunas pocas del hebreo y apenas unas cuantas fueron eslavismos y galicismos. Por supuesto que en cada país el yiddish adquirió características propias que lo hacían levemente diferente en Alemania que en Polonia o en Ucrania. Pero *borsh* era *borsh* en cualquier lugar.

—¿Borsh? —preguntó en voz alta David.

La mujer de piel transparente sonrió, apenas.

—Borsh —dijo sin entusiasmo.

Blanca era una de esas mujeres ensimismadas. Polaca de Varsovia, meretriz de señoritos, tenía fama de ser la mejor para hacer debutar a los adolescentes de familias ricas. Cabellera levemente roja, ojos azules y generosos pechos que lucía con premeditado desdén.

Se hicieron amigos, no hubo entre ellos ni comercio ni pasión, sólo complicidad de judíos pobres y emigrantes. Una madrugada en que Blanca sentía, lacerante, el peso de su desdicha compartió su historia con el joven amigo. Fue la primera vez que David tuvo referencias de la Organización.

Hacía un tiempo unos emigrantes polacos de origen judío se habían reunido en el barrio de Barracas Sur. Sus nombres eran Noé Trauman, Adolfo Soringfeder, Marcos Posnansky, Hernán Blauht, Adolfo Feldman, Libert Selender, Herman Bruschi y Maz Saltzman. En una sala de escasos muebles e insuficiente luz esos hombres cambiaron ideas y arreglaron lo que tenían que arreglar. Fueron atendidos por un jovencito criollo, oriundo de la provincia de Santa Fe, que les sirvió unos tés oscuros y calientes y unos bizcochitos dulces y secos. No se escuchó de sus bocas esa noche palabra alguna en español, a no ser un pedido o un "gracias" dirigido al solícito santafecino.

Cerca de medianoche todos sin excepción estamparon sus firmas al final de un papel. Resolvieron por ese acto "fundar una sociedad de socorros mutuos" cuyo fin era la solidaria ayuda recíproca. Un mes después se aprobaron los estatutos de tan benemérita asociación y se autorizó al presidente —Noé Trauman— a gestionar ante el gobierno de la provincia de Buenos Aires la personería jurídica de la sociedad.

Los estatutos recién aprobados eran los usuales. Exigían a los miembros honestidad bajo pena de expulsión y en su artículo segundo declaraba como objetivo de la entidad crear un fondo común destinado a socorrer a sus asociados en caso de enfermedad. Decía, además, que en dicho caso la Institución les prestaría "la fuerza moral" que esa asociación pudiera tener.

La Zwi Migdal, tal el nombre de la humanitaria organización, tuvo una larga vida —veinticuatro años y doce días— y terminó, lejos del agradecimiento amoroso de sus socorridos, en un allanamiento policial.

Hay dos cosas que están en el centro de cualquier cultura: la mesa y la cama. De estas cosas trató Dios cuando le entregó sus diez leyes al bueno de Moisés: el no matarás y el no robarás estuvieron al lado del no fornicarás y del no desearás a la mujer de tu prójimo. La ley es la ley, y es imprescindible, aunque a veces imposible de cumplir. La Zwi Migdal se interesó en la cama, y no sólo en las apetencias e insatisfacciones sexuales de sus miembros sino que, institución benéfica al fin, prestó sus servicios a toda la comunidad.

La entidad tuvo por años su sede en la avenida Mitre 452 de Avellaneda y una sucursal en la avenida Córdoba al 3000 en la ciudad de Buenos Aires. Esta última propiedad era muy lujosa, lo que no parecía corresponder a sus piadosos fines, con dos plantas levantadas sobre un hermoso jardín con frondosas palmeras. Hombres de fe, sus miembros hicieron funcionar en el local una sinagoga y una sala para velatorios. Y, como en la vida pasamos por todos los estados de ánimo, también un amplio salón para fiestas e, inclusive, cómodos alojamientos. Fue conocida también como "Varsovia" y lució por años una prosperidad sin límites. Lo que siempre ha llamado la atención de los estudiosos es que dispuso de su propio cementerio, sito en Avellaneda, donde eran inhumados los restos de sus miembros.

Cuando el 19 de mayo de 1930 se produjo el allanamiento final, la benemérita institución contaba con dos mil prostíbulos en todo el país y más de tres mil mujeres explotadas, además de muchos y fuertes contactos políticos y policiales.

Nadie puede arriesgarse a definir si en el comienzo de su vida, hacia mayo de 1906, sus fines eran legales o ilegales. Es posible que a su posterior negocio haya arribado ante la sorpresa indignada de algunos de sus miembros fundadores. Lo cierto es que la Zwi Migdal trajo al país a miles de mujeres como Blanca, con promesas de casamiento y una vida mejor que la de Europa, y las redujo a la esclavitud y al ejercicio de la prostitución.

Su negocio fue especialmente floreciente no sólo gracias a la aplicación y el trabajo ingenioso y violento de sus dirigentes, sino a un hecho poco expresado. El negocio de la prostitución estuvo siempre dirigido a los varones, es lógico que así fuese; siempre hubo para éstos menos trabas cultu-

rales para comprar sexo que para las mujeres. En esa industria los unos son la demanda y las otras, la oferta. Pero
cuando una comunidad recibe un aluvión de emigrantes mayoritariamente varones, violentando el equilibrio natural de
los sexos, es decir, cuando el país estuvo lleno de hombres
sin mujeres, se produjo un aumento nunca visto en la demanda.

Los emigrantes habían llegado a un país demográfica-
mente equilibrado, pensemos por un momento que si ese
aluvión se hubiese producido inmediatamente después de
una guerra, los varones emigrantes habrían encontrado fácilmente jóvenes mujeres con quienes casarse y el consumo
del servicio sexual habría estado restringido a la necesidad
común en la historia pues, obviamente, negocio de meretri-
ces hubo siempre.

En tales circunstancias el insumo para la industria, es
decir las mujeres, fue escaso para satisfacer tamaña demanda, de manera que fue menester traer hermosuras del otro
lado del océano. ¿Pero cuántas mujeres europeas conocedo-
ras del viejo oficio se podría reclutar? Y, por otro lado, ¿a
qué precio? Fue entonces necesario el engaño. La Zwi
Migdal trajo al país a miles de mujeres engañadas, que fueron sometidas mediante el terror y el desaliento a la esclavitud y a la compraventa de sexo.

Es de presumir que, al igual que el honesto y lucrativo
negocio del turismo, también el migratorio necesitara de dicha oferta. En Occidente ninguna autoridad gubernamental
investiga a los hoteles turísticos acerca de esto, va en contra
del negocio y sabemos que negocios son negocios. La Zwi
Migdal cayó cuando dejó de ser necesaria y cuando su poder
fue tan grande que resultó forzoso desmantelarla. Entonces
sus numerosos caudales, como todo capital, fueron a inte-
grarse a la general economía ya que, como sabemos, el dinero
en su amnesia no reconoce historia. Lástima que para cuando

eso sucedió, Blanca, la mujer polaca que dulcemente introducía a los muchachos vírgenes de familias ricas en las mieles sagradas del sexo, ya había terminado sus días.

Dos años después de los sucesos expuestos llegaba a estas playas el socialista italiano Enrique Ferri, quien debatió de ácida manera con sus camaradas vernáculos. La idea predominante en Europa era que, siendo el socialismo un inevitable corolario del desarrollo de las contradicciones implícitas en el capitalismo, éste se produciría, por lógica consecuencia, primero en los países desarrollados. El pensamiento parecía tener una lógica indudable, observémoslo sin juicios previos y por un momento olvidemos los inminentes acontecimientos posteriores que lo iban a desmentir.

Decía Ferri que los actores del cambio revolucionario eran los obreros, por lo tanto los cambios se tenían que producir primeramente en las sociedades ampliamente industrializadas con grandes masas proletarias. ¿Qué condiciones podrían lograrse en países con sistemas de producción precapitalistas, en algunos casos incluso feudales, sin industria y por ende sin obreros?

El italiano proponía a sus camaradas ayudar a la incipiente burguesía nacional a crear lo que en Europa se llamaba expresiones "radicales" más que la construcción de un partido de clase. Porque en opinión de Ferri, la Unión Cívica Radical no era otra cosa que un partido caudillista, ejemplo de la incivilizada "política criolla", al que en todo caso había que ayudar para que tomase posiciones de firmeza ante la oligarquía.

Pero aquí, aunque se coincidía con su desprecio por la "política criolla", no gustaron las opiniones de Ferri. El Partido Socialista ya se había declarado un partido de clase y, además, sin intenciones de establecer alianzas.

Claro que éste no era el único problema que calentaba los

espíritus socialistas. Marx había dicho cincuenta años antes que la partera de toda revolución era la violencia; dicho de otra manera, las clases dominantes, poseedoras de los medios de producción, nunca los habían entregado por las buenas. Pero hacia la época que nos ocupa, había no pocos seguidores del alemán Bernstein, que desautorizaba por completo la acción directa, la resistencia y la revuelta armada y se pronunciaba por la conciliación de clases. De manera que la teoría evolucionista y consignas tales como "todo el poder a los sindicatos" luchaban por la hegemonía en las huestes socialistas.

David y los otros personajes de esta crónica vivían en el vórtice mismo de un volcán, esclavos de una época de acción y de construcción de pensamiento. Pero ese ida y vuelta entre la realidad y la teoría ha sido siempre más fácil de anunciar que de hacer. Al tiempo que en el mundo se cerraba la *belle époque* y la paz armada, este país meridional, transformado en exportador de materias primas, donde ser extranjero era de lo más normal, estaba atravesando los dolores ácidos de un parto.

Las vidas de las naciones son como las máscaras del teatro: en el drama de la historia coexisten comedia y tragedia. La parte alegre de la Argentina aguardaba ansiosa el Centenario de la Revolución de Mayo, se prometían fastuosidades y júbilo y se esperaba que las fiestas fuesen la prueba de la asimilación a las tradiciones patrias de los laboriosos gringos. Pero ése fue solamente uno de los rostros del drama.

A comienzos de 1909 Rosario se conmovió por una huelga en la que se produjeron infinidad de incidentes en sus calles. Días después la Fora (Federación Obrera Regional Argentina) celebró un mitin conmemorando el Día del Trabajo en Buenos Aires. La policía, comandada directamente por su jefe, el coronel Ramón Falcón, que no gustaba andarse con chiquitas, reprimió de manera violenta dejando como resultado ocho muertos y una centena de heridos.

No pasaron muchos minutos y la noticia de la masacre llegó a la columna socialista que, con más de veinte mil personas, transitaba el camino de Plaza Constitución a Plaza Colón. Entonces sus integrantes bajaron las banderas y la columna se transformó en una marcha fúnebre.

Algunos dijeron que ante la desproporción de semejante violencia los trabajadores salieron a las calles de manera espontánea, otros, que los oradores de la concentración socialista llamaron a huelga general. Lo cierto es que las centrales obreras declararon la huelga. Trescientos mil obreros pararon y el país volvió a sacudirse.

El lunes 3 las calles de la ciudad de Buenos Aires estuvieron desiertas y sólo fueron recorridas por los cinco mil policías y las fuerzas del ejército. Ese día la Bolsa de Comercio creyó necesario solidarizarse con el criticado jefe de la policía. El martes 4 ochenta mil personas esperaban a las puertas de la morgue la salida de los cuerpos de los camaradas asesinados para depositarlos en el cementerio de la Chacarita. El miércoles 5 los socialistas hicieron una concentración en Plaza Constitución que al terminar fue disuelta a balazos por la policía: quedaron tendidos en el piso otros dos muertos.

Clausurados los locales socialistas, anarquistas y gremiales la huelga siguió hasta el día 9. Ese día, ante la contundencia de la respuesta popular, el poder, atónito, contempló su propio temblor como quien ve su mano fuera de control, sacudida por la convulsión. El pulso del país estaba descontrolado, su ánimo asustado. El poder tenía fuerzas suficientes para ganar, pero el precio de la victoria sería tan elevado que las voces más sensatas de la oligarquía llamaron a pactar con los indeseables dirigentes. Aquellos días se conocieron como la "semana roja" y traerían poco después consecuencias importantes.

Como ya hemos visto, el 14 de noviembre el militante anarquista Simón Radowitzky asesinaba al jefe de la policía, el coronel Ramón Falcón. La venganza se había consumado, hecho que el gobierno no podía pasar por alto. Sin otra alternativa declaró nuevamente el estado de sitio y se dispuso una nueva represión.

El 13 de enero del año 1910, cuando algunos se deleitaban ya por la inminente fiesta del Centenario, y otros esperaban el fin del mundo a propósito del choque del cometa Halley con la Tierra, el presidente Figueroa Alcorta estaba de reunión en reunión buscando fraguar con éxito su sucesor. La inminencia del 25 de Mayo hizo que levantase el estado de sitio, no se podía recibir a las cincuenta representaciones diplomáticas venidas de todo el orbe en esas condiciones.

Dos meses después, exactamente el 13 de marzo, se realizaron las elecciones. País moderno, la Argentina usó el probado y exitoso método de la compra de libretas. Se eligieron diputados y electores para presidente y vicepresidente. Como no podía ser de otra manera el electorado favoreció con la espontaneidad acostumbrada a la fórmula oficialista integrada por Roque Sáenz Peña y Victorino de la Plaza.

Pero no todo estaba bien. Los incorregibles anarquistas se quejaban por la represión de la que eran víctimas desde la muerte del jefe de policía. Figueroa Alcorta también se quejaba amargamente, es que esos delincuentes extranjeros, que ni siquiera sabían tomar mate amargo, pensaban que podían matar impunemente a un coronel de la nación, a un hombre que había cumplido patrióticamente con su deber de conservar el orden. La Fora había llamado a huelga general para el 25 de Mayo, querían demostrar el día de la libertad de la Patria que sus trabajadores no tenían libertad. Esos delincuentes —pensaba el presidente— pretenden libertad para poder destruirla.

En eso estaban cuando la central socialista llamó a huelga

general para el 18 de mayo. Los anarquistas, tomados por sorpresa, no tuvieron otra opción que adelantar la suya, y el gobierno volver a declarar el estado de sitio. Mientras se festejaba el centenario de la junta de don Cornelio los principales activistas fueron detenidos y deportados al extranjero. Varios días duró la represión y, mientras la regordeta y alegre infanta Isabel de Borbón, tía del rey de España don Alfonso XIII, departía a diestra y siniestra con lo mejor de la sociedad argentina, el terror recorría las filas del movimiento obrero. La huelga fracasó porque tenía que fracasar, porque conservar la vida es una necesidad insoslayable, porque la historia nunca acaba y porque ya llegarían otras huelgas.

Alguien dijo no sin dolor en esos días que los movimientos de protesta no debían tener los plazos del calendario patricio, sino los de su propia acumulación de fuerzas. Lo que parece innegable. Cabe preguntarse también si anarquistas y socialistas, en su justa disputa por el control del movimiento obrero, confundieron sus intereses con los de la clase que buscaban liderar.

—

SEGUNDA PARTE

EL ENCUENTRO

La siembra

Ocho años después de que Mario y Benito, el hijo adoptivo del carbonero Manuel Chinchella, recorrieran abrazados las calles de su barrio gritando la victoria del socialismo, el 7 de abril de 1912, llegaba nuevamente a la Cámara de Diputados el melenudo abogado Alfredo Palacios. Esta vez lo hacía acompañado por el médico Juan Bautista Justo, ese mismo que, mozo aún, había visto a su padre Juan Felipe luchar en 1890 en la Revolución desde las terrazas vecinas del Parque de Artillería. En esa época tenía veinticinco años y, como galeno recién recibido, había socorrido a los heridos del levantamiento.

Juan Bautista —para decepción de su padre, amigo íntimo de Leandro Alem— no se había sentido después atraído por el partido del viejo y venerable caudillo, sino por las transoceánicas ideas del socialismo. Hombre de acción como era, había formado, hacía dieciséis años, junto a los obreros Esteban Jiménez y Adrián Patroni, a intelectuales de la pequeña burguesía vernácula como José Ingenieros y Roberto Payró y a profesores emigrantes como Germán Ave Lallemant, el Partido Socialista.

Mario Pietrasanta tenía para abril de 1912 veintidós años, uno más que su amigo pintor, que para esos días empezaba a cobrar un modesto renombre. Su padre Giuseppe ya se encontraba enfermo, pero conservaba el mismo espíritu infatigable con el que había llegado a esta nueva tierra. Giuseppe, a diferencia de Juan Felipe Justo, había sembrado con éxito la semilla de sus ideas en el alma de su hijo. Mario debía a su padre la filiación socialista y el sentimiento proletario, esa necesidad de redención que suelen atesorar los oprimidos. Lo que no debía a su progenitor, sino a la ciudad fantasmal donde había crecido, era el amor por el bandoneón y la música orillera.

De noche, en el conventillo, hacía sonar el instrumento con sutil delicadeza, ojos cerrados y alma abierta. Su padre lo escuchaba con placer y mal disimulado orgullo hasta que, después de varios tangos y milongas, le pedía a su hijo alguna nostalgiosa melodía de su tierra. Pero si el viejo no lo hacía, tempranamente vencido por el sueño, entonces doña Francisca, su vecina, golpeaba a la puerta y le decía que ya estaba bien de ese ritmo de extramuros y le exigía un poco de buena música italiana. No había manera de negarse. Además, si lo hiciese, no sería invitado al abundante almuerzo dominical de doña Francisca, famoso a todo lo largo de la ribera portuaria. De forma que hacía salir de su instrumento el ritmo peninsular pedido, pero no por un interés culinario sino porque no podía soportar la ausencia de los ojos verdes de Franca, la hija de doña Francisca y, para él, la mujercita más bella del barrio de la Boca.

Una noche de entre semana, cuando los festejos por el triunfo electoral se habían apaciguado, Mario entró a un café ubicado en el cruce de la avenida Rivadavia y la calle Rincón. Tenía la esperanza de encontrar a Palacios, sabía que don Alfredo solía visitarlo con cierta frecuencia. Efectivamente, para su suerte el diputado estaba en ese mismo momento sentado a una mesa, había consumido unos cafés y estaba departiendo amigablemente con dos mujeres, una de ellas, activa militante obrera, era conocida de Mario. No tuvo que pedir permiso, Palacios, hombre abierto y amigable, apenas lo vio lo invitó a sentarse.

Una hora después entraban al bar unos muchachos, entre ellos un tal Carlos, regordete, de amplia sonrisa, que saludó a los dueños del local al tiempo que les dejaba, para que la tuvieran a buen resguardo, su guitarra debidamente enfundada. Mario conocía de mentas a ese mozo; Carlos era un cantor campero de fama incipiente, con una voz prodigiosa de rigurosa afinación que hacía vibrar con su sentimiento a un público cada vez más extendido.

Lo que nuestro joven italiano no sabía era que Gardel y Palacios se conocían y que, locuaces ambos, se enfrascaron en afectuosos comentarios sobre amigos comunes, como los payadores Betinoti y Gabino Ezeiza. Esa noche el legislador le habló al cantor sobre un amigo suyo, un tal Jorge Newbery, que el muchacho no conocía más que por oídas. Newbery era un cajetilla medio loco, de buena pinta, muy amigo de sus amigos, que tenía una increíble facilidad para los deportes. Con él Palacios había compartido asaltos de esgrima y hacía unos años había ascendido con un globo aerostático, el Patriota, para gozar del silencio y ver las casas y los hombres pequeñitos como hormigas.

Allí delante tenía Mario a dos representantes acabados de sus pasiones, la política y la música. Fue tan grande su estupor que permaneció callado, escuchando, sin perderse detalle alguno de la animada conversación. El Café de los Angelitos, tal el nombre del establecimiento, sería famoso con los años gracias a que Gardel lo adoptaría como lugar de reunión de tangueros bohemios. Llegaría allí a altas horas de la noche, después de sus exitosas funciones; no encontraría entonces al tribuno de espartanas costumbres, que solía acostarse temprano y levantarse con el gallo. Pero sí a Mario que, a diferencia de la mayoría de sus compañeros, y para disgusto de los dirigentes de su partido y de la bella Franca, gustaba de la noche.

Apenas pasadas las diez se levantó de la mesa el doctor Palacios para retirarse, las mujeres hicieron lo mismo. Mario también, pero solamente para saludar con simpática galanura a las compañeras y al doctor. Tenía que decirle al cantor que él tocaba el bandoneón.

Cuando Mario se lo dijo, casi pidiéndole disculpas, Carlitos sonrió como quien reconoce una complicidad. Entonces le presentó al muchacho que tenía a su derecha.

—Le presento a Romerito, él también toca el fueye.

Ésa fue la primera vez que Mario y Santiago Romero se vieron. Aunque Romerito no era asiduo acompañante de Gardel, quiso la suerte que esa noche se lo encontrase casualmente. Presentados por el que estaba a punto de ser llamado, con ilimitada admiración, el Zorzal, esos jóvenes no supieron que tenían en común más que el bandoneón y la música.

El domingo 16 de junio de ese año Buenos Aires amaneció lluviosa y fría, Mario estaba durmiendo todavía cuando golpearon en la puerta de su habitación.

—Mario, te buscan —escuchó que decía Franca del otro lado.

Abrió los ojos, se aclaró la garganta y preguntó quién era.

—Un tal Rizzo.

Se vistió a la mayor velocidad posible. Rizzo era un viejo militante del Partido, ¿qué habría pasado para que viniese tan temprano a buscarlo?

—Compañero, disculpe que lo haga levantar a estas horas —le dijo el serio napolitano apenas salió de la habitación.

—¿Qué sucede?

—No lo sé. Sólo me dijeron que hay una reunión importante a las once de la mañana en el local, y que le avisase a usted.

—¿Y qué hora es, compañero?

—Las siete.

Mario no podía entender que lo hubiese despertado cuatro horas antes para ir a un lugar que quedaba a apenas dos cuadras. Rizzo entendió la sorpresa y le dijo.

—Bueno, usted sabe, compañero... por ahí usted tenía pensado levantarse temprano para ir a jugar al fútbol, o ir a pescar... no quería correr ese riesgo.

Mario sonrió, acababa de recibir una lección, ser organizado y prudente era, para un militante, más importante que los buenos modales.

—Claro, tiene razón. ¿Quiere tomar unos amargos, compañero?

El napolitano agradeció la invitación. Para sorpresa del anfitrión Rizzo había traído un pan redondo y apetitoso que desenvolvió solemnemente. Después se incorporó Franca y a las nueve y media Giuseppe. Tomaron amargos y compartieron el pan hasta que se hizo la hora de ir a la reunión.

Cuando Mario entró en el local no pudo dar crédito a lo que veían sus ojos. Había seis personas —tres eran compañeros habituales de la sección— que escuchaban lo que decía un hombre que estaba de pie. Ese hombre era nada menos que el diputado Juan B. Justo. Estaba explicando la situación que se había producido en el pueblo de Alcorta, en la provincia de Santa Fe. Al lado del diputado estaba otro prócer del Partido, Enrique Dickman, que miraba con desusado interés el rostro de los presentes. Mario tomó asiento sin hacer ruido al lado del sexto hombre; primero no lo reconoció pero algo en su memoria tintineó como una campanilla. Cuando volteó la cabeza para volver a mirarlo el muchacho le extendió la mano, entonces lo recordó, era Romerito.

El doctor Justo dijo que había que apoyar a aquellos colonos explotados por la oligarquía latifundista, de manera que dos de los allí presentes iban a viajar al lugar para ponerse a disposición de un tal Bulzani y, además, le llevarían el dinero que habían juntado a las apuradas entre aportes personales y del Comité Central.

—Irá usted, Romero.

Romero asintió con una breve inclinación de la cabeza.

—Usted conoce la zona, nació allí. Irá con el compañero Pietrasanta, que es joven y luchador como usted.

Mario, sorprendido, creía que tocaba el cielo con las manos. Por último el doctor Justo hizo una pequeña aclaración.

—Me han dicho que ambos tienen grandes cualidades musicales y amor por el mismo instrumento, espero que lleguen sin escalas, que no se pierdan en alguna pulpería.

Todos rieron. Lo único que no les había gustado ni a Mario ni a Romerito era el nombre morboso de la colonia a la que tenían que ir: La Sepultura.

El año de 1911 fue desastroso para los colonos y comerciantes de la campaña, especialmente de la zona maicera, porque se había perdido totalmente la cosecha. De manera que los primeros quedaron gravemente endeudados con los segundos que vieron incumplidas no solamente sus acreencias, sino también paralizadas las ventas, y pronto comenzaron a retirar las libretas a los colonos si éstos no pagaban por lo menos la mitad de sus deudas.

Esta situación se vio agravada por la baja repentina del precio del cereal. Parecía ser que en estas fértiles pampas no funcionaban como debieran las leyes del mercado, porque es de lógica que con la abundancia bajasen los precios y con la merma ascendieran. Pero las maniobras artificiales de los acopiadores habían invertido las leyes y ahora exigían de los quebrados colonos abultadas bonificaciones, pues, en caso contrario, prometían no cumplir los contratos de compra y venta que habían convenido.

Las tierras que diez años antes valían dieciséis pesos habían llegado a la suma astronómica de trescientos. Los terratenientes, además de beneficiarse con este incremento increíble, ahora reclamaban un aumento de los arrendamientos que los colonos no podían pagar en tiempos normales, menos en las presentes circunstancias con los trágicos resultados de la última campaña.

Un comerciante de Alcorta, Ángel Busjarrábal, se vio, como todos sus colegas, en la necesidad de retirar las libretas a los colonos, tarea ingrata para él, que solía ser amigo de sus clientes. Busjarrábal lo hizo, pero a su manera. Primero invitaba con un trago a sus deudores y después les decía que la única salida que tenían era unirse y llevar adelante un movimiento de fuerza. Los pacíficos colonos se le quedaban mirando con la boca abierta: don Ángel los incitaba a la huelga.

—¡Cosa de no creer por estos pagos! —dijeron algunos viejos memoriosos y descreídos.

Las palabras del comerciante no fueron inútiles: hubo oídos que no las creyeron desatinadas. Tal fue el caso del agricultor y maestro Francisco Bulzani que, encendido por las palabras del buen comerciante y amigo, invitó a los trabajadores de su colonia a una reunión para tratar la situación.

Así fue que la noche del 10 de junio llegaron a la chacra de Bulzani una gran cantidad de colonos. Su mujer, María Robotti, tenía la mirada inquieta y el ánimo exaltado mientras hacía correr la ronda de mate. Esa noche resolvieron integrar una comisión de huelga y solicitar a los terratenientes una rebaja sustancial en el precio de los arrendamientos.

Cuando se fueron de la chacra, unidas sus manos en manojos de esperanzas, esos hombres no tenían conciencia, no podían vislumbrar que estaban haciendo historia.

La comisión de huelga estaba integrada, además de Bulzani, por Francisco Peruggini, José Di Biase, Francisco

Capdevilla y José Lucantoni. Siguieron haciendo reuniones y calentando los sesos de los demás colonos hasta que el lunes 17 Bulzani y Peruggini fueron detenidos por la policía. No gustaba a la fuerza del orden, al mando del comisario Juan Moreno, que se revolviese el avispero —tales las palabras que usó el comisario—. Debían cuidarse, dijo, porque él tenía órdenes precisas. Si los pescaba nuevamente haciendo reuniones los remitiría a la Jefatura Política de Rosario, lo que significaba que los jueces les aplicarían la ley de Residencia.

Fue durante la incómoda estadía que el comisario Moreno les tuvo reservada a los dos integrantes del comité de huelga en los calabozos de su dependencia, que Mario Pietrasanta y Santiago Romero llegaron a Alcorta, preguntaron por la colonia La Sepultura y por un tal Francisco Bulzani. Quiso Dios que no tuvieran mejor lugar para preguntar que el negocio de ramos generales que regenteaba el ya nombrado Ángel Busjarrábal. Fue una suerte que le preguntasen a él y no a un soplón del comisario, que los hubiese llevado sin escalas a la dependencia policial.

Busjarrábal les dijo que estaba detenido.

—¡No me diga! —exclamó Romerito—. ¿Y cuál es el motivo, mi amigo?

—Andaba reclamando cosas de su interés —contestó el comerciante que no sabía a quiénes tenía delante.

—¡Lástima!

—Así que tendrán que verlo allí o esperar.

—Esperaremos.

Busjarrábal creyó entender. No podían ir a la comisaría pero estaban lo suficientemente interesados para esperarlo. Trató sin éxito de indagar acerca de los motivos de la búsqueda y al final resolvió que nada se perdía indicándoles el camino para ir a lo de Bulzani. Ya era tarde; Mario y Romerito fueron a comer a un bodegón que encontraron abierto y pidieron alojamiento en el hotel más barato del pueblo. A la mañana siguiente se dirigieron a pie a la chacra del detenido siguiendo las indicaciones precisas del comerciante.

Al pasar la tranquera los vino a recibir un perro, el can estaba entusiasmado con los nuevos olores, por él del todo desconocidos, que evidentemente no eran de la comarca. Cuando estuvieron a diez pasos del rancho hicieron palmas. No tuvieron que esperar mucho, María salió decidida a su encuentro.

Después de la breve presentación, la mujer les dijo lo que ya sabían: Bulzani estaba preso.

—¿Y de dónde vienen ustedes?

—De Buenos Aires, señora.

—Tanto viaje tendrá un motivo importante.

—Así es, nos manda el doctor Justo.

La cara de María se transformó.

—¿Justo?

—El diputado Juan Bautista Justo.

María se los quedó mirando, limpió sus manos en el delantal y, aflojando la dureza de su mirada y con una sonrisa en sus labios jóvenes, les dijo:

—Entonces sean bienvenidos a este rancho, compañeros.

El rancho era humilde pero increíblemente limpio. María los hizo pasar a una salita apartada donde había una biblioteca repleta de libros; les contó con lujo de detalles lo sucedido mientras los invitaba con mate y bizcochos de grasa. A la hora llegaron unos chicos, los hijos del matrimonio. La madre los presentó diciéndoles que eran compañeros de la capital enviados por el doctor Justo. Los dos purretes pusieron la misma cara de asombro que su madre al enterarse; uno de ellos, el menor, de nombre Horacio, les preguntó si iban a sacar al padre de la cárcel.

—No creo que podamos hacerlo, nosotros sólo venimos a ponernos a su disposición para lo que guste mandar —le contestó Romerito.

Al chico debió gustarle eso de venir a ponerse a disposición del padre, porque sonrió y salió afuera a jugar.

90

Poco antes del atardecer se apareció un hombre de estatura baja, hombros anchos, bigote y cejas negras y tupidas, manos anchas con dedos cortos y fuertes, a la manera de los paisanos italianos. Se sacó el saco oscuro, dejó el sombrero sobre el perchero y les dijo:

—Me han dicho que andan buscándome.

Bulzani, ya liberado por las fuerzas del orden, sonrió con una sonrisa franca, a él también le costaba entender que el Partido Socialista se hubiera acordado de él y de la lucha de aquellos colonos perdidos en los campos.

—Compañero, nos dijo el compañero doctor Juan B. Justo que nos pongamos a su disposición para lo que usted necesite. Además él nos encargó que les trajéramos unos fondos para ayudar en la lucha —dijo con actitud solemne Romerito.

Bulzani era un hombre duro pero emocional. Había aprendido de su padre y sus hermanos mayores el conocimiento de las labores del campo en la Italia natal; muy de joven se había hecho socialista y eso lo había llevado al mundo de los libros.

—No hay caso, la victoria no la vamos a conseguir con la fuerza bruta, los obreros tenemos que acceder al conocimiento, saber más que ellos, vencerlos usando la inteligencia —les dijo esa noche.

También esa noche les contó sobre el hombre que habían conocido en el negocio de ramos generales y que les había indicado el camino hacia su chacra.

—Se llama Ángel Busjarrábal, es un buen hombre.

Sin duda Bulzani tenía confianza en el comerciante y,

como era imposible volver a hacer reuniones en su rancho y era muy peligroso hacerlas en lo de algún otro colono, le pidió a Busjarrábal usar el sótano de su negocio. Don Ángel aceptó con gusto, convinieron además que se iban a comunicar a través de Mario.

Bulzani hizo un plan y todos pusieron manos a la obra. Había que hacer una asamblea, unos curas estaban ayudando y prometían la presencia de un hermano abogado que vendría especialmente desde Rosario para apoyar el movimiento. Los sacerdotes se llamaban José y Pascual Netri y el hombre de leyes que prometían un tal Francisco. Después de alguna consulta Bulzani fijó la asamblea para el jueves 25 y les dijo que se haría en las instalaciones de la Sociedad Italiana de Alcorta.

—Hace falta que se enteren todos los colonos —pensó en voz alta Romerito.

—Sí, nos va la vida en eso —le respondió Bulzani.

Romerito tenía una ventaja sobre Mario, sabía montar a caballo, de manera que él se encargaría de distribuir las comunicaciones entre los colonos. Faltaban pocos días, era necesario apurar el paso.

Después de febriles trabajos y varias detenciones de colonos llegó el jueves 25 de junio. El local de la Sociedad Italiana bullía, más de trescientos colonos se habían dado cita con sus precarios medios de movilidad. La policía y los propietarios habían tratado de impedir la asamblea pero sus esfuerzos fueron inútiles. Estaban presentes, además de los hermanos Netri, representantes de los colonos de Bigand, Bombal y otras localidades vecinas.

El primero en hablar fue Francisco Bulzani, quien propuso se aprobara la declaración de huelga hasta que los contratos de arrendamiento quedaran sin efecto.

—No hemos podido pagar nuestras deudas y el comercio, salvo algunas honrosas excepciones, nos niega la libreta. Seguimos ilusionados en una nueva cosecha y ésta ha llegado, pero continuamos en la miseria.

Palabras simples las de Bulzani que el público apoyó con aplauso unánime. Luego habló el representante de la comisión de huelga de Bigand, un joven delgado llamado Luis Fontana.

—Traigo la adhesión de sus compañeros de Bigand. Los usurpadores de nuestros derechos, que no conocen la miseria ni el hambre, son gente desconsiderada que llena sus arcas con el dinero del laborioso agricultor.

Después habló el doctor Francisco Netri quien aconsejó la creación de una organización gremial. Y así fue. Antes de levantarse la asamblea y después de declarada la primera huelga agraria del país quedó constituida la Federación Unión Agrícola.

Tan fuerte había sonado la decisión de los colonos en los oídos de los propietarios que algunos se avinieron a firmar nuevos contratos. Efectivamente, los señores Camilo y Juan Cucco hicieron público a través del diario *La Capital* que habían bajado sus pretensiones "de acuerdo con lo solicitado por los chacareros". Cedían sus ganancias "al 25 por ciento embolsado y trillado, a recibirlo al pie de la máquina y libre de venta, y el 6 por ciento por pastoreo". La inteligencia y la bondad son bien distintas virtudes en el individuo, pero, socialmente, poco importa saber por cuál de estas causas los señores Cucco cedieron a las demandas. Por uno o por otro motivo su actitud favoreció al movimiento de colonos.

El 2 de julio se realizó una manifestación en la plaza de Alcorta, allí estuvieron delegados de Carreras, Peyrano, El Socorro, San José de la Esquina, Bigand y otros pueblos y una delegación de la Fora. El miembro informante de esta delegación dijo que "los obreros agrarios y los braceros de máquinas desgranadoras se habían plegado a la huelga".

El movimiento de protesta se extendió como reguero de pólvora, rápido y con augurio de explosión. Pronto miles de colonos de Santa Fe, Córdoba, Entre Ríos y Buenos Aires estaban en huelga.

El poder tembló, nuevamente.

El anarquista

—El catalán anda haciendo reuniones —le dijeron a don Venancio.

El barbero de Máximo Paz, a su vez, le susurró al oído a Rodeiro:

—El catalán anda haciendo reuniones y calentando a la gente —sutil agregado de su impronta que creyó tan necesario como inofensivo.

Eso fue todo, más no necesitaba Manuel Rodeiro, el caudillo conservador de Máximo Paz.

—Se habrá contagiado de los alcorteños —le respondió el caudillo pretendiendo no darle mayor importancia.

Días antes había llegado al pueblo la noticia de la huelga. La gente estaba conmovida, las huelgas habían sido hasta allí cosas de ciudades y obreros, nunca se había tenido noticias de ellas en las pampas verdes, donde los hombres laboriosos de los surcos, a diferencia de las masas proletarias, vivían separados por leguas y compartían solamente unas cañas en las cuadradas mesas de los bares pueblerinos y los oficios religiosos dominicales.

Para algunos, como el catalán Francisco Capdevilla, la novedad sonaba como música en sus oídos. Anarquista de pocas lecturas pero firmes convicciones, Capdevilla desde hacía tiempo se había dedicado a la difusión de los principios filosóficos de Proudhon, Bakunin y Enrico Malatesta. No era de extrañar entonces que, apenas enterado del movimiento de Alcorta, organizara una reunión en su chacra con los colonos a quienes había "calentado", como diría después el barbero Venancio.

Aquélla fue una de las más frías noches de ese invierno. Como las fuerzas policiales andaban a la caza de huelguistas y agitadores, Capdevilla dejó de consigna a dos compañeros en la tranquera de la chacra con sus escopetas preparadas y la expresa orden de hacer fuego apenas divisaran a las fuerzas del orden.

La reunión se realizó y todo pareció andar bien, pero al día siguiente, como hemos visto, alguien anotició de su realización al barbero quien, a su vez, dejó caer la mala nueva como un venenoso susurro en los oídos atentos de Manuel Rodeiro.

Don Manuel, como caudillo conservador de la zona, tenía a su disposición a la policía del departamento de Constitución, pero no quiso que las cosas pasaran a mayores. Los caudillos no roban a nadie su sitial; mal que les pese a los melosos y demagógicos defensores de la infalibilidad popular, basan su poder en un liderazgo paternal que no se exige ni se compra. De carne y hueso son los humanos que depositan en el caudillo su confianza y respeto, y a veces hasta su amor. El caudillo a su vez, si bien usa —como un padre— aquí y allí la violencia encausadora, es, sobre todo, una figura protectora que conduce el rebaño, que busca hasta encontrar a las ovejas perdidas.

Hubo, pese a lo apuntado, quienes dijeron que el hecho de que a Manuel Rodeiro se le ocurriese tener una conversación con el casi iletrado anarquista fue consecuencia de la alarma que estaban provocando los acontecimientos de Alcorta. Dijeron que, en otras circunstancias, hubiese actuado desde el vamos con todo el peso de la represión. Sin embargo en una carta dirigida años después a su nieto mayor,

también llamado Manuel y también caudillo conservador, le
habría dicho con ironía:

"...siempre he creído que no ha nacido el cristiano que
no tenga precio, salvo algunos anarquistas, como aquel
Capdevilla del que ya te he hablado, por lo que bien puede
discutirse su inclusión en el género humano".

Como sea, mandó un emisario a la chacra de Capdevilla
para invitarlo a charlar sobre el problema agrario. El catalán
supo de inmediato que trataba de sobornarlo, de manera que
contestó sin pelos en la lengua.

—Dígale a don Rodeiro que él conoce bien el camino
que conduce hasta mi chacra, donde con mucho gusto lo
recibiré. A no ser que tenga miedo de alternar con un anarquista —dijo dejando al intermediario de una pieza.

Como Rodeiro no era hombre de quedarse atrás se apareció por las tierras de Capdevilla con ánimo e intención de
convencerlo de que dejase de agitar las aguas y calentar las
cabezas. Pero el anarquista inició la conversación con palabras
que fueron más un epílogo que un prólogo.

—Es muy poco lo que tenemos que hablar. Rebaje usted
el precio de los arrendamientos, firme nuevos contratos con
los colonos y verá de qué manera tan sencilla concluye el
conflicto, por lo menos en sus predios.

Fue en ese momento en que Rodeiro pergeñó la sospecha
de que los anarquistas no debían ser incluidos en el género humano. Tragó saliva y se fue de los dominios del insobornable catalán
jurándose que se las iba a cobrar con los debidos intereses.

El martes 9 de julio se celebró en la plaza central de Máximo Paz, como en tantos otros lugares de la nación, el Día de la
Independencia. A la fiesta asistieron todos, hombres y mujeres,
niños y ancianos, luciendo sin excepción redondas escarapelas
blancas y celestes. A la fiesta fueron también Manuel Rodeiro
y Francisco Capdevilla. La banda invitada comenzó entonando
los compases del Himno Nacional, que fueron acompañados

por las voces de los concurrentes que, a ese efecto, se descubrieron las cabezas como signo de respeto a la canción patria. En ese mismo momento era izada la bandera nacional por dos alumnos de una escuela de las inmediaciones. Como relató con ingenuidad y en forma poco original al otro día el diario pacense *El Campo*, "eran dos palomas blancas que representaban la paz y el progreso de la República".

Durante esos instantes de unción patriótica Rodeiro observó que alguien no había descubierto su testa. La ira subió, ígnea y descontrolada, a su cabeza: pocas cosas sublevaban más a un conservador que la humillación de los símbolos nacionales y las añejas tradiciones. La falta de consideración y respeto de Capdevilla, que de él se trataba, debía ser castigada. De manera que ordenó a un policía que dos uniformados —le mostró a tal fin los dedos índice y mayor de su mano derecha, para que no le quedasen dudas al servidor público— instaran a ese irrespetuoso —lo indicó con la misma mano— a descubrirse por respeto al país que generosamente le había abierto sus puertas.

Los custodios del orden público, según expresas órdenes de Rodeiro, debían exigírselo con voz estentórea y clara, perfectamente audible para todos los asistentes a la conmemoración patria. El caudillo especuló que si el anarquista se descubría quedaría mortalmente herido en su valentía, de la cual hacían gala los agitadores como él. La gente sabría entonces hasta dónde llegaba el valor de ese hombre. Y, si no lo hacía, la plaza entera vería cómo se lo llevaban preso, y no por agitador y calumniador, sino por humillar a la nación. Lo que además, especuló el caudillo, lo haría pasible de un juicio de residencia con el que podría sacárselo de encima sin mayores costos, maquinó con prematura satisfacción.

¡Pero tantas veces las buenas intenciones chocan con la impericia burocrática!

Resultó ser que el agente que recibió la indicación tuvo

que pedir la autorización del cabo y éste la de su sargento. Ya salía el agente para cumplir con lo pedido cuando recordó los dos dedos que don Manuel le había puesto delante de sus narices, efectivamente le había dicho que fuesen dos uniformados, lo que motivó una nueva ronda de consultas. De modo tal que cuando la fuerza policial se presentó delante del anarquista la ejecución del Himno ya había concluido. No obstante el agente cumpliendo con la orden que le dieran le exigió a Capdevilla que se descubriese.

99

—Yo no me quito el sombrero —contestó el aludido— porque lo he comprado para tenerlo puesto. Y, por otra parte, no pasa por aquí ningún difunto en este instante como para que yo me descubra.

Sorprendido, el agente atinó a contestar:

—Pero usted debe saber que estaban tocando el Himno.

—Vea, amigo —le contestó el catalán—, a usted lo manda Rodeiro, pues vuélvase y dígale que no tengo más himno que el de los trabajadores, ni más patria que el mundo. ¡Mi bandera es la roja de los hombres libres!

Ya se iba el agente cuando escuchó:

—Además dígale que la próxima vez no mande emisarios, que es de hombres entenderse personalmente.

Lo que le molestó al caudillo conservador no fue el no detenerlo. Lo puso furioso que el anarquista le contestara a los atónitos y estúpidos agentes a voz en cuello, con voz estentórea y clara perfectamente audible para todos los asistentes a la conmemoración patria, llamando la atención de toda la plaza y suscitando no pocas adhesiones. Con el estómago enfermo de rabiosa bilis el caudillo entró en su casa jurando, nuevamente, que le haría tragar una a una sus insolentes palabras al odiado catalán.

Pocos días después Francisco Capdevilla organizó una manifestación en la misma plaza. Sobre una silla pronunció un discurso incendiario:

—La revolución social está en marcha, ya se acerca el brazo del progreso. Levantemos entonces la mirada y empuñemos el rojo pendón de la libertad, enseña sublime de nuestra redención. Rompamos para siempre, compañeros y colonos, las gruesas cadenas que oprimen a los hombres y mujeres desde tiempos remotos en la historia de la civilización.

Alocución encendida, torneada en el romanticismo florido de la época, que terminó, como consta en las crónicas periodísticas, de la siguiente manera:

—Ha llegado el momento de levantar las voces de protesta y decirles a los tiranos de la tierra: ¡Basta de humillación!

Rodeiro, que ya había entendido las botas que calzaba el catalán, envió a la policía que disolvió de inmediato la manifestación pero que no pudo detener al agitador. Capdevilla, tan rápido como le dieron las piernas, se escondió en una finca del pueblo y de noche, con la escopeta sobre su hombro, huyó en un sulky hasta su chacra.

Pocos días después Capdevilla tuvo otra buena idea. Reunió en su rancho a los colonos que simpatizaban con su causa y a la luz de un candil les contó su nuevo plan.

—Los he reunido para proyectar el asalto a la comisaría.

Todos se miraron, aquello parecía increíble.

—El que no se anime y tenga miedo —prosiguió— puede irse. Los que estén dispuestos a acompañarme que levanten las manos.

Algunas manos se levantaron y algunos cuerpos traspusieron la puerta. Capdevilla pensó que con los que se habían quedado era suficiente, pensó también que podía confiar en los que se habían ido. No había entre ellos ningún delator. Convinieron el punto de reunión, que sería el paso a nivel a la entrada de Máximo Paz. A esa reunión asistió el colono Manuel Sales que refirió todos estos sucedidos a Plácido Grela que, muchos años después, publicaría la historia.

A las tres de la madrugada del día fijado los colonos estaban en el paso a nivel, pero el anarquista no se hizo presente. Pensaron que podía estar preso, pues era buscado afanosamente por la policía, de manera que uno de ellos se propuso para ir a la chacra de Francisco a ver qué pasaba. Pero en el camino fue detenido por los uniformados que le sacaron la escopeta y el machete y lo molieron a palos. Inconsciente y con los huesos rotos fue arrojado a las vías del ferrocarril en la creencia de que estaba muerto, pero una hora después recobró el conocimiento y, como pudo, pidió auxilio en el primer rancho que tuvo a su encuentro.

Cuando despuntaban las primeras luces del alba los asaltantes estaban seguros de que algo raro y malo había pasado. Entonces se dirigieron en grupo a la chacra de Capdevilla. Veinte metros antes de trasponer la tranquera de las tierras de su líder fueron interceptados por la policía a los tiros. Los colonos se parapetaron detrás de una parva de maíz y desde allí se trabaron en feroz lucha armada. Las fuerzas del orden lograron incendiar la citada parva y los frustrados asaltantes de la comisaría huyeron hacia los pajonales, donde la mayoría fue detenida.

Rodeiro, al ser informado del suceso, ordenó que un piquete de soldados allanase la vivienda de Capdevilla, cosa que se hizo pero infructuosamente, ya que el anarquista había huido, nadie supo explicar cómo.

La buena suerte no dura eternamente, tampoco la del catalán. Durante los últimos días del año 1912 fue detenido junto con otros integrantes del comité de huelga de Máximo Paz. Lo llevaron a la cárcel de Rosario donde fue maltratado casi hasta la muerte; la justicia intentó aplicarle la ley de Residencia pero la Fora organizó grandes manifestaciones en su apoyo y fue puesto en libertad después de un año y medio de cautiverio.

El catalán volvió al pueblo. Rodeiro, que había aprendido a valorar la determinación de su enemigo, le hizo la vida imposible. Le enviaba continuamente partidas para detenerlo sin ningún motivo. No mermado su valor, pero sí cansado de tantos atropellos, Francisco Capdevilla le dijo a su amigo Manuel Sales que se alejaría del pueblo. Y así lo hizo, un día él y su familia desaparecieron y nunca más se lo vio ni en Máximo Paz ni en ningún otro rincón del territorio nacional. Si el aprendiz de Malatesta y de Kropotkine siguió o no con sus tareas revolucionarias nunca se supo, pero es de sospechar que, en cualquiera de los casos, nunca dejó que en su fuero íntimo se apagase la llama de las ideas anarquistas.

La cosecha

"Es preciso ponerse en el actual conflicto de parte de los colonos porque está de su lado la razón. No pueden más, se les exprime como a limones." De esta manera definía el conflicto la comisión creada por el gobierno provincial para estudiar la situación agraria.

"Hay quien cobra treinta y cinco pesos en dinero y el veinte por ciento de la cosecha. Y esto ha sido hecho cuando los propietarios ganaban al mismo tiempo enormidades sin ningún trabajo", terminaba el informe de la citada comisión.

Notemos que el tono usado no es el que de común emplean los documentos oficiales. Es que la provincia estaba en manos del movimiento de Leandro Alem. Pero el radicalismo no se engañaba; a pesar de tener el control del ejecutivo de la provincia sabía que sus tiempos, aunque inminentes, aún no habían llegado. Y, en cuanto a la nación se refería, estaba embarcado en una tozuda oposición.

Cuando los miembros de la Sociedad Rural, el día 13 de julio de 1912, tuvieron en sus manos el informe oficial no pudieron dar crédito a lo que leían sus ojos.

—¡Cuándo se ha visto en este país que un gobierno trate de semejante manera a los hombres de bien! —dijo a la prensa uno de los propietarios. Acostumbrados como estaban al "gobierno de los mejores", recibieron ese informe como un balde de agua helada.

Mientras Mario Pietrasanta y Santiago Romero iban de un lado a otro llamando a reuniones y pasando secretos informes a sus camaradas porteños, el gobierno provincial había constituido una comisión para estudiar el problema agrario. La integraban el vicegobernador, Ricardo Caballero, que supo ser a principios de siglo un enjundioso anarquista que dictaba conferencias y no faltaba nunca a una concentración de 1º de Mayo, y el doctor Daniel Infante que, desfachatado él, en la primera reunión que tuvo con la Sociedad Rural, y para disgusto de sus integrantes, se definió sin el más mínimo disimulo como socialista.

Si bien la comisión dejó el problema de los desalojos para que se encargase la justicia —que en este país nunca fue ciega—, elaboró un informe que causó una explosión en las mentes de los propietarios.

El informe de los demagógicos agitadores devenidos gobernantes fijaba que el pago sería de un treinta por ciento en dinero o en especie y definía un lapso de ocho días para que el patrón retirase su renta una vez trillada, con la "consiguiente liberación de toda responsabilidad para el colono por los daños que la renta sufriera después de ese plazo". Además, los señores fijaban un mínimo de seis por ciento de tierras dedicadas al pastoreo donde no hubiese alfalfa y, lo que verdaderamente pasaba de castaño oscuro, la libertad absoluta de los colonos para vender a quien quisieran y cuanto quisieran el producto de sus cosechas.

Si esto no era socialismo, ¿qué era entonces?, se preguntaron indignados los dueños de las tierras.

Ese día 13 de julio la Sociedad Rural rechazó el informe de la comisión, y pidió además la aplicación de medidas policiales para que los colonos que deseaban trabajar pudieran hacerlo. El doctor Lisandro de la Torre, también él propietario de grandes extensiones de tierras, mostró en privado y en público su oposición y desencanto por lo resuelto. Dijo que sus colegas tenían una "escasa visión de los intereses que debían defender por propia conveniencia". Interesante reflexión que no se tuvo en cuenta.

Siete años después de estos acontecimientos, quien moriría por su propia mano diría que no estaba de acuerdo con el latifundio y que había que convertir en propietarios a todos los agricultores profesionales, arrendatarios y jornaleros rurales.

¿Es que en un rapto de locura el doctor Lisandro se había vuelto socialista? No, en absoluto, solamente era consciente de la "propia conveniencia".

Diría entonces que "la reforma agraria fundada en la extinción de los latifundios centrales no es sólo un mandato de la democracia, es una necesidad imperiosa de nuestra propia producción". El doctor De la Torre le decía a su clase que la función del capital está en la producción, no en la parasitaria usura.

Lástima que su clase no haya sido merecedora de tan claro entendimiento.

—Deolinda, un hombre de Buenos Aires la anda buscando —le dijo don Segundo más asustado que sorprendido.

—Ta bien, allí voy.

Deolinda, que estaba lavando la vajilla del desayuno, se secó las manos y caminó por el pasillo con una sonrisa de oreja a oreja, sintiendo que el alma le salía por la boca. ¡Quién otro podría ser!

Santiago envolvió a su madre con los brazos tan fuerte y suavemente como pudo; áspero como era no quería que la emoción le saliese por los ojos.

La madre se hizo pequeñita, encerrada por el calor de su hijo.

—M' hijo, qué guapo está.

Y se puso a llorar.

Santiago iba a decirle que ella también estaba linda pero no lo hizo. No habría faltado a la verdad Santiago si la emoción por el reencuentro le hubiese permitido hablar, si hubiese podido decirle a su madre que estaba hermosa. Deolinda, que para ese entonces apenas había sobrepasado los cuarenta y cinco años, era de esas mujeres que mejoran con el tiempo y que, para cuando las urgencias hormonales se retiran, alcanzan la plenitud de una belleza menos explosiva y superficial que la de sus años juveniles. Las primeras arrugas alrededor de los ojos le daban a la mirada de esa hija de india un encanto que antes no había tenido. De suave tez mate y piernas bellamente torneadas, Deolinda no había clausurado el amor. Todo lo contrario. Liberada de las fuerzas reproductoras de la naturaleza y siendo su hijo ya un hombre de veintisiete años, afincado en la capital, la mujer sentía una rara e íntima libertad. Una libertad como nunca había sentido.

Madre e hijo fueron a la cocina y, cerca del fuego, tomaron una interminable cantidad de amargos. Una hora después Romerito le preguntaba a su madre si no quería volverse con él, dejar la estancia y los platos, las mañanas frías y el eterno servir, y venirse para Buenos Aires a vivir con él.

Deolinda miró los ojos de su hijo; su madre siempre le había dicho que eran los del abuelo, ese gaucho chúcaro malogrado por la bebida y de un valor sin límite. Decía la vieja india que el cabo Gómez tenía esa mirada penetrante y limpia que no podía ocultar un alma pequeña, la de un niño encerrado en aquel corpachón de hombre.

—No puedo m' hijo...

Lo miró a los ojos, estaba raramente serena.

—... no quiero m' hijo.

Santiago Romero era un hombre perceptivo y, aunque le costaba escuchar lo que oía, entendió.

—Es que aquí, Santiaguito, me ata un querer.

Esa tarde Santiago Romero maldijo a la bella Jeanne que

le había enseñado a leer y cantar, razones éstas que lo habían hecho bajar a Buenos Aires. Si hubiese permanecido analfabeto no habría podido entender aquel papel que le dieron en un piquete obrero, cuando —más de diez años atrás— caminaba por un suburbio de Buenos Aires. Si no lo hubiese podido leer, no habría tenido la chispa que tuvo en sus entrañas; y de no haber tenido esa chispa no se hubiese producido la explosión que se produjo. No se hubiese parado a preguntar, no le hubiesen hablado y, en ese caso, nunca habría llegado a ser socialista. Y si él no fuese socialista, si no estuviese preso de las ideas de libertad, si no le hubiesen inculcado una nueva manera de percibir a la mujer, podría gritar en ese momento, podría negar la evidencia de que su madre era una mujer que buscaba el amor de un hombre. Podría, libre y espontáneamente, dejar salir para afuera los brutales celos que sentía en sus entrañas.

Pero más puede en el hombre justo la especulación y su mucha o poca sabiduría que la colérica espontaneidad de los instintos. No pudo contener una lágrima pero no salió de su boca un solo reproche.

Además, amaba a esa mujer.

Ya estaba en marcha la realización de la asamblea constitutiva de la Federación Agraria Argentina cuando el doctor Francisco Netri resolvió adelantarse y enviar notas a todas las comisiones de huelga. "Siendo necesario organizar definitivamente la sociedad que tienda a mejorar las condiciones en que actualmente se encuentran los colonos, los invito a concurrir a la asamblea general que tendrá lugar en el salón de la Sociedad Garibaldi, Corrientes 1241". Aclaraba más abajo que podían asistir los delegados de comisiones que quisieran formar parte de la Federación Unión Agrícola, es decir el mismo nombre que le dieran los miembros del comité de Alcorta, pero que después, a iniciativa del colono y dirigente socialista Antonio Noguera, pasó a denominarse Federación Agraria Argentina.

Las cartas estaban echadas. Las fuerzas de Netri, que se oponían a la politización de los reclamos sindicales de los colonos, se enfrentarían con la considerable influencia de los socialistas que, empezando por Bulzani, habían impulsado el movimiento desde los mismos inicios.

La reunión se hizo en un clima de violencia. La policía tenía encarcelados a decenas de chacareros y en Alvear había detenido al cura Ángel Giutti por haber escrito un manifiesto que denunciaba las actividades brutales del comisario de la localidad.

A la asamblea fueron invitados los representantes del gobierno radical: Ricardo Caballero, Toribio Sánchez y Daniel Infante, a quien se le ofreció la presidencia. Por indicación del doctor Netri se le dio un voto de aplauso a la comisión del gobierno radical que había confeccionado el informe que de tan mal humor había puesto a la Sociedad Rural. No tuvo igual suerte Adolfo Mujica, ministro de Agricultura de la Nación, quien había llamado "agitadores profesionales" a los huelguistas.

En las actas de la asamblea consta el raro pedido de un asambleísta de que se nombrase presidente honorario de la Federación a su excelencia el Presidente de la Nación, moción sólo apoyada por el solitario promotor. Fuera de este detalle risueño, la asamblea eligió a los integrantes del Comité Central, el nombre de Federación Agraria Argentina y, antes de terminar la sesión, hizo vivas a la clase trabajadora del campo y a la patria.

Habían vencido los socialistas.

Pusieron a Antonio Noguera en la presidencia y a muchos de sus hombres en el Comité Central. Tanto el Acta de fundación como la Declaración de principios tenían el sello del ala izquierda del movimiento. Esto molestó al doctor Netri, que reorganizó a sus hombres para enfrentar el avance de los socialistas.

Era casi el atardecer cuando la señora entró en la cocina y vio a aquel hombre hablando con Deolinda. No dijo nada, hizo que controlaba la cocción del dulce de naranjas que tanto apreciaba su marido y se fue. Al rato la hizo llamar a Deolinda.

—Deolinda, ¿por qué le faltas a mi casa?

La sirvienta, que estaba como correspondía con las manos hechas un nudo y la mirada en el piso, no entendió. Levantó entonces la vista y miró a su señora inquisidoramente.

—¿Por qué traes a un hombre a esta casa?

Deolinda no pudo contener una sonrisa amplia que, sin que ella quisiera, se transformó en una carcajada. Semejante muestra de confianza hizo caer en la cuenta a la señora de su error. Le había visto cara conocida al extraño.

—Es Santiaguito, mi hijo, señora.

Ambas rieron con la feliz complicidad de las madres, complicidad que a veces no reconoce ubicaciones sociales.

—¡Así que es Santiago! Entonces dile que le cobro por entrar a mi casa, va a tener que cantar un par de zambitas para esta vieja.

Y, efectivamente, ya puesto el sol los patrones escucharon esa voz afinada y cadenciosa. Sin embargo las cosas habían cambiado, el hombre Santiago Romero no conservaba la timidez respetuosa del niño que había sido y que ellos recordaban. No cantaba con la vista perdida y gesto ausente, ahora posaba en las personas y las cosas una mirada pesada, donde habitaba una chispa de controlada violencia. Incluso, al final de una milonga campera había dejado estar más de la cuenta su mirada en los ojos de Merceditas, una de las dulces mellizas de los años infantiles y la única que aún quedaba soltera. No fue una mirada lasciva, sino cómplice, que denotaba una búsqueda imposible y ciertamente imperdonable. Entonces el patrón, advirtiendo el improcedente desliz, dio por concluida la sesión musical.

—Vaya, Romerito, que ya es tarde —le dijo el patrón usando un calculado tono paternal. El viejo patrón de estancia se había dado cuenta de que ese tono, que para otros era un cobijo deseado, a ese joven le sabía como desprecio y le hacía hervir la sangre. Sus miradas se encontraron. Ésa era otra prueba —pensó el patrón—, antes, jamás, le hubiese sostenido su mirada. Por un instante tuvo ganas de cruzarle la jeta con el rebenque, pero no lo hizo.

Eso fue lo que sintió, sin decir una sola palabra, el doctor Victorino Martínez Cruz. Pero no lo juzguemos indebidamente, no era, para su época y su situación social, un mal patrón. Se preocupaba más que muchos propietarios de la salud de sus trabajadores y había firmado, después de que lo hicieran los hermanos Cucco, nuevos contratos de arrendamiento haciendo de las demandas de los colonos texto escrito y firmado. Y no lo había hecho de mal grado, era hombre cultivado y sabía que una época se había terminado. Más aún, una parte de él se sentía liberada con el cambio. Liberada de lo que su familia, sus antepasados y la sociedad esperaban que él hiciese. Años después el doctor Victorino Martínez Cruz acompañaría, como candidato a diputado en la provincia de Santa Fe, a Lisandro de la Torre y tendría en la función pública más integridad y desprendimiento personal que muchos de sus colegas.

El doctor Francisco Netri era un napolitano de estatura mediana, cabellos ondulados y negros, tupidas cejas y bigotes que terminaban en punta, ascendentes, como era la costumbre de ese tiempo. Invitado por su hermano Pascual, apoyó el movimiento huelguístico desde el primer momento. Apasionado como buen peninsular no tardó mucho en reponer fuerzas después de la asamblea constitutiva que, como vimos, le había resultado adversa.

Contrario como era a que los agricultores politizasen sus reclamos, cuando Antonio Noguera invitó al diputado Juan B. Justo a asistir al local de la Federación la polémica estalló. El doctor Netri aprovechó la siguiente reunión del Comité Central para pedir la expulsión del presidente Noguera, acusándolo de hacer propaganda socialista. Tomados los socialistas por sorpresa la votación les fue adversa y Noguera expulsado. Esto ocurrió en la reunión del 31 de octubre y, un mes después, corrió igual suerte Francisco Bulzani, el iniciador del movimiento. Ese que prestó buenos oídos a las sugerencias del comerciante Busjarrábal.

Noguera, en tan dramáticas circunstancias, prefirió apartarse de la lucha para no dividir al movimiento. Regresó a Pergamino, donde había actuado como periodista y se recluyó en su chacra. Por años se lo vio en la zona con su vehículo de trabajo al que colocó un curioso letrero que rezaba con claras letras rojas: sembrando ideas o sembrando papas, lo mismo se contribuye a engrandecer la Patria.

Con la destitución de Noguera, Mario y Romerito fueron llamados a Buenos Aires. Esto ocurrió a las pocas semanas de que el doctor Francisco Netri ocupara la presidencia de la Federación. Al año siguiente Netri tendría sobre sí una orden de detención que le impuso un juez por haber hecho un discurso en contra de los intereses del país. El abogado desacató dicha orden y se defendió, el 29 de abril de 1913, desde las páginas de *La Tierra*, el periódico de la Federación Agraria Argentina. Como heridos por un rayo los agricultores se movilizaron, sobre ellos pesaba nuevamente la infame ley de Residencia. Los terratenientes no pudieron ganar la partida y, ante el escándalo nacional provocado por la torpe trampa, el dirigente agrario fue sobreseído por la justicia.

Pero Netri había herido poderosos intereses que no lo perdonarían.

Tres años y medio después, el 5 de octubre de 1916, el abogado se dirigía a la sede de la Federación, cuando de pronto alguien interceptó su paso revólver en mano y le descerrajó varios balazos. Declararon los testigos presenciales que el asesino dijo: "Usted no es digno de pisar esta tierra". Indigno concepto de la dignidad tuvieron siempre algunos hombres en este país.

Sangrante, el napolitano continuó caminando hasta una peluquería de la calle Urquiza mientras con odio repetía: "Asesinos... asesinos", en su lengua natal. El criminal, con calma —como si tuviera las espaldas cubiertas— le siguió los pasos y entró en el negocio. Cuando Netri se dio vuelta para mirar de frente el rostro de su victimario, éste lo remató con dos nuevos balazos.

El asesino era un matón de nombre Carlos Ocampo, conocido en los suburbios porteños, que a las pocas horas volvió a Buenos Aires portando una regular suma de dinero. Cuando fue detenido confesó diciendo lo que le había dicho a su víctima, que no era digno de pisar esta tierra, lo que no dijo fue quién le había pagado por su trabajo.

El día en que Romerito volvía a Buenos Aires un hombre de humildes ropas de trabajador se le acercó en el andén de la estación ferroviaria.

—Santiago —le dijo con la mirada mansa—, yo soy el motivo por el que su madre no va con usted. Quiero que sepa que la quiero bien y la sabré cuidar.

Los dos hombres se miraron a los ojos, limpia y francamente, como debía ser.

—Y quiero que sepa —continuó don Segundo— que en el corazón de Deolinda usted siempre estará primero.

Entonces, con mutuo respeto, don Segundo y Santiago Romero se dieron la mano.

El Grito de Alcorta, tal el nombre con el que la historia conoció al movimiento huelguístico que reunió a ciento cincuenta mil agricultores, buscó y consiguió la rebaja de los contratos de arrendamiento. Pero hizo más que eso. Pese a la brutal represión que cayó sobre sus dirigentes, muchos expulsados del país por defender los intereses de los trabajadores rurales, logró la creación de innumerables ligas agrarias, sin las cuales ya no fue posible gobernar el campo. Y, aún hizo más que eso, su grito visceral y profundo apuntó, directamente, contra el corazón de la Argentina económica, el latifundio.

El Nilo

En el invierno de 1900 llegaba al puerto de Buenos Aires, desde la lejana y mágica Esmirna, la nave gris que mal transportaba a una niña llamada Rebeca. La dura travesía le había anoticiado de que no pertenecía, como había creído, a la nación española, y le había hecho crecer dentro del pecho una tristeza lacerante, y sobre todo, un raro extrañamiento que tardaría años en superar.

La niña viajaba acompañada por su padre Yomtov, el aventurero; por su madre Victoria, la optimista; y por su hermana Berta que, como sabemos, tenía cinco años más que ella. Aquí, en tierra firme, los esperaba en el muelle Elías, su tío, loco de alegría por el reencuentro.

No permanecieron más que unas noches en la gran aldea transformada ya en urbe cosmopolita. Nada recordaría Rebeca de esa ciudad gris cuando años después volviera a caminar por sus calles ajetreadas. Solamente guardaría en su memoria los rostros que transitaban la ciudad, multitud de gestos, ademanes y características diversas que denotaban la exuberante multiplicidad de sus orígenes.

El atento tío Elías la paseó por el centro y la llevó a tomar un riquísimo helado en un café de Avenida de Mayo llamado Tortoni, donde varios parroquianos lo habían saludado con amabilidad. Ya entrada la noche fueron al hotel donde el tío no quiso saber nada de malestares y cansancio de parte de su hermana y, ante la alegría de Rebeca, invitó a toda la familia a cenar. Cuando estaban sentados a la mesa del restorán el buen Elías les aclaró:

—Olvídense de nuestras comidas, aquí no las van a encontrar, además sería una ingratitud para con esta nueva tierra no comer lo que aquí se estila.

Entonces, sin esperar contestación alguna, le hizo al mozo el pedido. Todos se quedaron mirándolo. Victoria pensó que era hermoso volver a tener a su hermano. Yomtov se dijo a sí mismo que, aunque medio loco, era bueno tener a su cuñado cerca, que parecía haberse acostumbrado fácilmente a estos lugares. Berta no hacía otra cosa que mirar a los comensales, a derecha e izquierda, descubriendo aquí el francés, allá el habla de Goethe. Rebeca, con demasiada hambre para pensar, tenía la boca hecha agua y el estómago preso de una urgencia imperiosa.

Después de largos minutos el mozo trajo una especie de parrilla que tenía adentro blanquecinas brasas de carbón y arriba una cantidad nunca vista de carne y achuras. Los sefardíes habían mirado con tranquila sonrisa al mozo cuando llegó, pero después de que éste hubo dejado la parrilla en el centro de la mesa sus miradas ya no pudieron levantarse, no balbucearon ni siquiera un gracias amable y de buena educación, como era su costumbre. Semejante variedad y abundancia los tenía hipnotizados.

Victoria pensó cuánto iba a gastar su hermano. Yomtov se dijo que esa nueva tierra debía ser muy rica para que sus habitantes comiesen de tan pantagruélica manera. Berta ya no escuchaba ningún idioma a su alrededor. Y Rebeca se había sobrepuesto al primer estupor, ahora masticaba con deleite un embutido negro que le había llamado la atención.

Como dijimos, poco después la familia emprendió nuevamente viaje; esta vez fue por tierra, hamacados por el vaivén rítmico del tren. Pasaron sucesivamente por la mediterránea Córdoba, nombre que por supuesto conocían aunque en referencia a una bella tierra peninsular, la seca Santiago del Estero y el verde Tucumán. Doce días después de haber desembarcado en el puerto de Buenos Aires los Danón hicieron su entrada en una pequeña ciudad ubicada en una meseta, rodeada por las estribaciones de la cordillera de los Andes.

San Salvador de Jujuy era un poblado de casas bajas y blancas donde se traficaba la vida debajo de un cielo azul, intenso, que a Yomtov le recordó el desierto de su tierra perdida. Los días eran cálidos ese invierno y las noches moderadamente frías.

En San Salvador de Jujuy no escuchó Berta ni el francés ni el idioma del creador de El Fausto, pero encontró muchos árabes, a los que, como a ellos, los lugareños llamaban turcos. Poco tardaron en comprender que cualquier discriminación era imposible e inútil. Había dos grupos de argentinos en la zona, los collas y los criollos. Para estos últimos no existía ninguna diferencia entre un catalán, un madrileño, un andaluz, un vasco o un gallego, habían resuelto simplificar el asunto llamando a todos gallegos. Yomtov, que no desconocía las diferentes etnias de la península, hubiese entendido más esta burda simplificación si todos fuesen denominados españoles. Pero no, para los argentinos criollos, e incluso para los hijos de los emigrantes, todos los que venían del reino de los Reyes Católicos eran gallegos. De igual manera los árabes, los sefardíes, los turcos y los armenios eran —por motivos desconocidos y aún más inexplicables— lo mismo, y estaban englobados en una raza que recibía el genérico nombre de turcos.

Para los collas la simplificación era aun mayor, aunque más entendible. Integrantes de un pueblo derrotado, para ellos todos, criollos y emigrantes, eran simplemente blancos.

Yomtov trataría de desentrañar este misterio de equívocas reducciones, lo comprendió el día en que el boticario, don Rodrigo, acaso despreocupado de esos malentendidos porque él sí era gallego, le dijo:

—No es que no lo entiendan sino que no les importa. Nos les preocupa de dónde venimos, les da igual. Y a mí tampoco, nos reciben con los brazos abiertos y eso es suficiente.

Razón de lógica indiscutible la del buen celta, que el sefardí entendió sin esfuerzo. Y nunca más, hasta su muerte ocurrida décadas después, Yomtov volvería a corregir a quien lo llamase turco.

Dos meses después de su arribo Yomtov inauguró un bar en la zona más céntrica de la ciudad, al que su nostalgia llamó El Nilo. La espaciosa construcción era vieja y graciosa, de claras reminiscencias moras, con una suave frescura durante los días tórridos y una cálida atmósfera en las noches inclementes. El establecimiento era atendido por él, Victoria y dos dependientes y fue, de inmediato, todo un éxito. Y no porque a la ciudad le hiciese falta una nueva fonda, cafetería o taberna, sino porque su dueño supo importar brillantes y delicados elixires del todo desconocidos en la zona y, también, porque supo ser afable y hospitalario, servicial y atento sin ser insufrible, locuaz sin ser entrometido; en definitiva, amigable con todos, con los de arriba y los de abajo, con los gobernantes y los gobernados, con los doctores y los comerciantes.

El Nilo pronto fue lugar de reunión imprescindible. Sus mesas conocieron los acuerdos y los desacuerdos políticos de la provincia. Caudillos y segundones tramaron allí lo visible y lo oculto, lo confesable y lo ignominioso, lo permitido y lo ilegal. Para ello asistieron dos causas, ambas nacidas de la inteligencia práctica y brillante del sefardita.

La primera fue que a la semana de instalado Yomtov vio entrar a uno de los más importantes caudillos locales, le sirvió lo que éste le pidió pero tuvo la suspicacia de obsequiarlo con una copita del más sutil y costoso de sus licores árabes. El hombre quedó enamorado de la bebida y se hizo un habitué de El Nilo, donde siempre tuvo reservada la botella indicada.

Un día ese caudillo esperó en las mesas de El Nilo inútilmente que llegase un estanciero de la zona que allí había citado. Mandó entonces a un niño a que inquiriese la razón de la demora y a la hora vio al pequeño entrar acompañado del hombre buscado.

—¿Qué le pasó, don Miguel, se había olvidado de ver a este amigo?

—No, don Victorio, es que la esquela que me mandó decía "…nos vemos en la Jabonería de Vieytes" y yo no supe dónde sería ese lugar.

Yomtov no podía entender por qué le habían puesto jabonería a su bar. Tuvieron que explicarle media Revolución de Mayo para que entendiese de dónde provenía el curioso apelativo que le habían puesto a su establecimiento. Cuando al fin comprendió los tejes y manejes de los patriotas de Mayo y orgulloso de que el bar no desentonase con las tradiciones de estas tierras, dijo con picardía:

—Debía vender muchos jabones el tal Vieytes.

Y ante las risas generales ordenó, a cargo de la casa, una vuelta de ginebra para todos.

La segunda causa del éxito de El Nilo fue una modificación arquitectónica que proveyó al bar de un lugar de reservados que albergó los retruécanos amorosos con los que los jóvenes jujeños buscaban inflamar la imaginación de las niñas casaderas, siempre y cuando conservasen la apostura, las manos quietas y las debidas costumbres.

Durante las horas tórridas de la tarde Yomtov concurría a la biblioteca municipal que distaba pocas cuadras de El Nilo.

Hombre curioso e investigador aprendió todo lo que pudo del nuevo país y de esa dura zona norteña. No lo hizo guiado por la perspicacia y el cálculo con el que había invitado al caudillo, sino por una razón más simple y clara. Estaba convencido de que para amar algo, para apreciarlo y valorarlo era menester conocerlo.

—El amor es hijo del saber —decía.

Y él estaba dispuesto a ser un turco argentino, por lo que se hundió en el estudio de la historia y la geografía de esas tierras a las que el destino quiso que llegase.

Pero no solamente buscaba el conocimiento en los libros. Solía hacer largas caminatas, muchas veces acompañado por la pequeña Rebeca, subía las laderas de los cerros menos escarpados, descubría las viejas construcciones de los aborígenes, anteriores a la llegada de Colón y hablaba, como podía, entre señas y media lengua, con los collas. Si bien ese hombre había nacido y se había criado en una gran ciudad, El Cairo, tenía en sus genes el gusto, las aficiones y el saber de los hombres del desierto. Acaso por eso Yomtov y su hija Rebeca gustaban de los collas. O quizás sea su pertenencia al pueblo de la diáspora que lo hacía envidiar la tozuda permanencia de esos hombres y mujeres en las tierras que les habían pertenecido antes de que llegase el conquistador.

A ambos les gustaban esas personas calladas, respetuosas al extremo e incapaces de gritos, que llevaban dentro el dolor más agudo que se podía imaginar. Poseían una paciencia infinita que solamente la soberbia del blanco confundía con la ignorancia, el desdén o la torpeza. Sospecharon que había más saber que indolencia en esa amarga resignación porque, como bien sabían los pueblos del desierto, lo fundamental era conservar la vida, lo imperdonable era dejarse morir.

Además, los indios sabían más que los blancos de los tesoros maravillosos que ocultaba la madre tierra, sólo había que saber sacárselos con amor y prudencia, como Moisés había sabido descubrir el agua debajo de las piedras.

Cierta vez, durante un atardecer rojizo, bañados por la última y amarilla luz que se filtraba entre las montañas, ambos vieron a una graciosa collita que hacía pastar a su rebaño. Entonces él le preguntó dónde vivía y la joven le dijo que del otro lado de la montaña.

—No llegarás a tiempo antes de que anochezca.

—No, señor, haré noche aquí mismo.

—Pero, ¿no tienes miedo de la noche y de los animales? —preguntó Rebeca.

—No, niña, sólo tengo miedo de Adán.

Siempre recordaría Rebeca esa contestación. Años después, envuelta en imperiosas luchas feministas, concentrada en la dura pugna por el voto y por salarios iguales a los de los hombres, recordaría lo que la joven colla sin nombre conocido le había dicho.

"Sólo tengo miedo de Adán." Rebeca entonces se lo contaría a las mujeres y a los hombres de la gran ciudad. Esa mujercita no temía al puma, al frío o al diablo, sino al varón de su propia especie.

—Hay algo peor, más olvidado de la mano de Dios, que ser un colla: ser una colla —diría años después.

Cierta vez entró en El Nilo un hombre temido, un matón de nombre Aparicio. No era la primera vez que iba, de manera que Victoria, que acomodaba la vajilla detrás del mostrador, no se extrañó por la visita. Los matones tienen sus códigos y, fuesen de la provincia que fueren, no gustan andar quebrantándolos. El hombre entró con dos pistolas pero, como muestra de respeto al lugar donde era recibido, sin bienvenida pero tampoco con agravio, caminó hasta el mostrador y le dijo a Victoria:

121

—Tenga buen día, doña Victoria, por favor guarde usted estas armas que Dios me dio.

Victoria tomó las pistolas pero le dijo muy segura de sí misma:

—Oiga, don Aparicio, Dios no le dio éstas, ni ninguna otra. Lo que sí le dio son ésos —dijo levantando sus puños pero indicando con la mirada las manos quietas del hombre— y si fuese tan valiente como dicen, con ésas le alcanzaría.

El asunto no pasó a mayores, pero tuvo sus consecuencias.

La familia había olvidado ya las penurias de la travesía transoceánica cuando, como producto del trabajo y la buena suerte, compraron una casa que lindaba con el bar. Era una casa colonial, con patio y aljibe y horno de barro donde podían hacer pan casero. Cada una de las niñas tenía una habitación, Yomtov un estudio y, aún, sobraba una. Por lo menos eso fue lo que pensó Rebeca la primera vez que vio la casa por dentro, lo que no sabía era que su madre le daría luego de exactos siete meses una nueva hermana a la que ella nombraría Lucía.

Los próximos fueron años de bonanza, pero todo ciclo concluye y esto no tiene excepciones. Cuando Lucía tuvo cinco años y Rebeca doce recién cumplidos, los padres les anunciaron que se iban a trasladar a Buenos Aires. Buenos Aires, ciudad maravillosa que Lucía no conocía y Rebeca no recordaba. Para Berta, la mayor, siendo ya una joven de diecisiete años, aquello era lo mejor que podía pasarle, y recibió la noticia con indisimulado alborozo.

Había tres razones para el traslado, las tres argumentadas por Victoria, a quien le había llevado dos años convencer a su marido.

—Berta ya es una señorita, pronto le interesarán los hombres —le dijo Victoria a su marido, como primer motivo para el traslado.

Yomtov que, como todo varón, en algunas circunstancias solía perder la cordura le contestó:

—¿Y para qué quiere conocer hombres?

La esposa no se dignó contestarle, y el padre supo que ése era un punto perdido. La segunda razón que esgrimió Victoria fue que Rebeca se estaba criando como un animal silvestre y que necesitaba un lugar más culto, más refinado. La tercera razón era que no podían seguir viviendo en un lugar donde un matón puede entrar al bar y pretender que se le guarden las armas, dijo Victoria como quien termina la conversación con un argumento imposible de rebatir.

Yomtov se levantó de la silla y dijo con humor:

—Estos turcos no sé qué se creen que son, ahora resulta que Jujuy les queda chico.

Pero al día siguiente perdió el humor cuando Berta le preguntó si ya había decidido la mudanza. En ese momento supo que no podría por mucho tiempo defenderse de la alianza de las dos mujeres.

La familia Danón llegó a Buenos Aires un día de abril de 1907 y fueron a vivir a un departamento de la calle Reconquista, entre Córdoba y Viamonte. Un edificio bello para el gusto citadino, pero gris y hasta lúgubre para Yomtov y sus dos hijas menores. El primero porque tenía en su sensibilidad la paleta ocre del desierto, las otras porque venían de un jardín verde, de un valle lleno de vida y no podían entender la materia muerta e inerte del cemento.

Si bien el departamento era espacioso, de acuerdo a la escala de espacios de la ciudad, ahora Rebeca y Lucía debían compartir la habitación. Juntas, de noche, lloraban acongojadas por lo que habían dejado atrás. Especialmente Rebeca tenía una indescriptible sensación de pérdida, porque su hermana tenía la edad de ella cuando había dejado Esmirna, una edad en la que es más fácil perder, porque es más fácil encontrar. Pero a los doce años el traspaso fue feroz, brutalmente doloroso. Es que perder es lo más terrible que le pasa al ser humano, la vida se presenta a los ojos angustiados como un largo camino de pérdidas que conducen a una final y definitiva. Acaso por eso mismo sea tan necesario aprender a perder. Claro que semejante oscura y patética elucubración no estaba en la mente de Rebeca; ella, con la piel lacerada, en carne viva, sólo atinaba a llorar lo perdido.

Yomtov estuvo tentado, por sus hijas menores y por él mismo, de volver a Jujuy. Fue entonces cuando ocurrió un hecho que definiría la vida futura de la familia. Un hecho terrible y bien intencionado.

Hacía dos años había llegado a la ciudad una hermana de Victoria, Rosa. Era por tanto de evidente licitud que la mujer de Yomtov quisiera permanecer en la misma ciudad donde residían su hermana y su amado Elías. Rosa, mujer especuladora y astuta, le dijo a Victoria que su marido se decidiría según lo que opinasen sus hijas, especialmente la más pequeña, Lucía. De manera que ambas mujeres, madre y tía, llevaron a la pequeña a una habitación y le preguntaron dónde quería vivir. No había caso, la pequeña quería volver a Jujuy, entonces, mientras Victoria fue a preparar unos tés, Rosa le dijo a su sobrina que si era una buena hija debía decirle al padre, cuando éste se lo preguntase, que era muy feliz en Buenos Aires, porque sólo en esa ciudad su madre se sentía contenta, cerca de sus hermanos, o sea de sus tíos. La sagaz Rosa puso a la pequeña ante un dilema de fidelidad, ¿podría buscar su felicidad a costa de la de su madre?

No pensemos mal de Rosa, si bien ella también se sentía sola en ese país extraño, si bien quería estar cerca de su hermana y de sus sobrinas, no hizo lo que hizo por ella, sino por ver contenta y tranquila a Victoria.

Cuando a la noche Yomtov le preguntó a Lucía si se sentía bien, si estaba a gusto en la oscura ciudad puerto, la pequeña, atrapada en la telaraña de irrenunciables fidelidades, le dijo que sí, que quería quedarse.

Pero mientras lo decía su corazón se partía en pedazos.

Noche de tango

—Has dormido bien al parecer.

—Ahora duermo bien.

—Pero, ¿cómo fue después de haber estrangulado a aquel niño?

—La primera noche nomás. Después nada.

—¿Tu madre viene a visitarte?

—No, señor, tiene vergüenza.

El hombre acercó una silla para sentarse y en tono más íntimo, apenas audible la voz, le preguntó:

—¿Qué sentís cuando estrangulás?

—No sé, me gusta. Me da todo un temblor por el cuerpo que me sacude. Siento ganas de morder. Al chico ése lo agarré con los dientes y lo sacudí como hacen los perros con los gatos... Luego me da mucha sed, la garganta se me seca.

—¿Por qué incendiabas las casas?

—Para ver trabajar a los bomberos. Siempre corría a ver los incendios y les daba una mano a los bomberos.

—¿No te han inculcado algún principio religioso?

—¡Cómo no, si soy bautizado!

—¿Y no te han dicho que puedes ser castigado?

—Pero aquí me han dicho que soy un enfermo.

Afuera sonó un bocinazo.

—Entonces —agregó el muchacho—, ¿qué culpa tengo yo si no puedo sujetarme?

El doctor Vaccari se paró y pidió que le abriesen la puerta, ya sabía todo lo que tenía que saber de Cayetano Santos Godino.

En 1615 se formó en Hoorn una compañía comercial que mandó dos naves en expedición al remoto sur. Europeos como eran, habitaban el centro del orbe; herederos del pensamiento mediterráneo creían ir hacia los confines del mundo. Las dos naves se llamaban Hoorn y Endracht y estaban a cargo de Guillermo Schouten, para lo marinero, e Isaac LeMaire, para lo comercial.

Después de meses de travesía llegaron a la zona donde las aguas de los dos océanos se juntaban provocando nerviosos oleajes e impredecibles condiciones de navegabilidad. Allí avistaron una isla que parecía una enorme piedra emergiendo de las aguas hostiles a la que llamaron Isla de los Estados.

Es conjeturable que el topógrafo Plancius les haya advertido del estrecho y sus islas en ese sur remoto, dado que una de las naves de Francisco de Camargo, desviada por los huracanes, había llegado en 1540 a la salida del canal después llamado de Beagle, donde invernaron durante seis meses.

De la Isla de los Estados se ocuparon Julio Verne y el más cercano Roberto Payró, quien conoció el presidio militar establecido en 1886 y el mítico Faro del fin del mundo. La prisión, ya fusionada con la Cárcel de Reincidentes, fue mudada en 1899 a Puerto Cook y en 1903 a Ushuaia, en la gran Tierra del Fuego. Ushuaia tenía, según indicaba el censo de 1895, treinta y nueve casas y la misma cantidad de familias, con un total de ciento treinta y un habitantes.

A esta prisión irían a parar los huesos de los hermanos

Bonelli, asesinos de clientes ricos; el cruel Saccomano, conocido como "el descuartizador" o más vulgarmente "serruchito", y el estafador Juan Dufour. Allí también estuvo confinado el penado ciento cincuenta y cinco, nuestro conocido Simón Radowitzky, el joven anarquista que mató al policía Falcón y a su secretario, dado que por ser menor de edad no se le pudo aplicar la pena de muerte.

La leyenda cuenta también que habitó los lúgubres calabozos de la cárcel de Ushuaia un tal Charles Romuald Gardés, nacido en Francia, de nacionalidad argentina y más conocido como Carlos Gardel. No hay en los archivos de prontuarios y sentencias información al respecto, todos esos papeles fueron enviados a Buenos Aires y se perdieron en los sótanos de la desaparecida penitenciaría de la avenida Las Heras. Pero entre los viejos pobladores y los guardiacárceles su estadía fue siempre una historia que no admitió reparos. Dicen que cumplió una corta condena por un asunto de mujeres y política antes de iniciar su carrera artística.

Puede que esto sea cierto o puede que sea falso en lo que a Charles Gardés respecta, pero en lo que se refiere a Carlos Gardel sí puede afirmarse que allí estuvo. Porque Gardel, a diferencia de Gardés, no es un hombre de carne y hueso sino un mito, una invención de su tiempo y de su pueblo. Y no hay dudas de que para ese pueblo una estancia, aunque breve, en el terrible presidio donde el mundo finita le daba más hombría que una cicatriz cruzándole la cara.

De quien hay datos fehacientes de que fue a parar allí es de ese muchacho de dieciséis años llamado Cayetano Santos Godino, popularmente conocido como el Petiso Orejudo.

Poco antes de la medianoche del 14 de abril de 1912 el transatlántico británico Titanic, de cuarenta y seis mil toneladas, perteneciente a la White Star Line chocaba con un iceberg. La catástrofe se produjo a ciento cincuenta y tres kilómetros al sur de los Grand Banks de Terranova, Canadá.

El barco, considerado insumergible a causa de sus dieciséis compartimientos estancos, no pudo con la inmensa mole de hielo que rompió cinco de ellos, uno más de los que se había considerado posible en caso de accidente. Tres horas tardó el hambriento océano en tragarse la enorme nave; de las dos mil doscientas veinte personas que estaban a bordo murieron mil quinientas trece y con ellas se hundió parte del orgullo del industrioso Occidente.

Durante ese mismo 1912 Buenos Aires vivió una época de terror. En enero fue encontrado muerto, asesinado en una casa de la calle Pavón a la altura del 1541, un niño llamado Arturo Laurora. El 7 de marzo, frente a un local ubicado en Entre Ríos 322, se vio que un individuo le prendía fuego al vestido de la niña Benita Vainicoff, que poco después moría en el hospital a causas de las múltiples quemaduras. El 8 de noviembre el pequeño Carmelo Russo fue encontrado atado y semiasfixiado por un cordón que le envolvía el cuello. Segundos más y habría muerto.

Finalmente el 3 de diciembre desapareció Gerardo Giordano, de tres años. Había estado jugando con unos amiguitos y, de repente, nadie supo nada más de él. Su padre lo buscó desesperado por todo el barrio. Es historia que cuando volvía el hombre de la comisaría, después de hacer la denuncia, se cruzó con un muchacho y le preguntó si había visto a un chiquito que se había perdido.

—No, señor, ¿por qué no va a la comisaría? —le respondió el adolescente muy amablemente.

El hombre entró al baldío por donde había visto salir al sujeto y encontró a su hijo, muerto. Estaba detrás de unos escombros y tenía trece vueltas de cordón alrededor del cuello y un clavo en la sien.

Sólo cuando una niña le dijo que había visto al pobre Gerardo comprando dos centavos de chocolate acompañado por un petiso orejudo, el padre sospechó que el muchacho con el que se había cruzado era el asesino.

Santos Godino fue al velatorio, se acercó al cajón y tocó la cara del nene con gesto compungido. Al día siguiente fue detenido en su casa de la calle Urquiza al mil novecientos.

Cuando el comisario le preguntó el motivo por el que había ido al velatorio respondió que quería ver si el chico todavía tenía el clavo en la cabeza.

La muchedumbre pidió la pena de muerte como justo pago y lógica venganza; pero Santos Godino tenía dieciséis años y la ley lo impedía. Además, en su cabeza tenía veintisiete cicatrices producidas por los golpes de su padre. El monstruoso Petiso Orejudo había salido de una familia de pobres calabreses integrada por ocho hijos, una madre ausente y un padre albañil, alcohólico y golpeador. Cuando Cayetano tenía diez años el padre, cansado de su *disgraziato figlio*, como lo llamó su esposa después de los terribles acontecimientos, se apersonó a las autoridades policiales y les pidió que hiciesen algo con él, porque ahogaba pajaritos en una caja. Las autoridades lo mandaron a una colonia de menores en Marcos Paz de donde salió hacia finales de 1911. Algo había pasado allá en la colonia, o acaso todo era ya inevitable, lo cierto es que después de salir no pudo dejar de matar.

Después de la primera huelga de colonos y agricultores, que como sabemos pasó a la historia como el Grito de Alcorta, Mario Pietrasanta y Santiago Romero volvieron a Buenos Aires, pero ya no eran los mismos.

Como les dijo el diputado Juan Bautista Justo la tarde sabatina de su regreso, se habían transformado en cuadros políticos; y no porque el trabajo realizado por ellos hubiese influido sustancialmente en el movimiento huelguístico, sino porque las circunstancias en que se produjo el contacto con aquellos hombres bruñidos por el sol y trabajados por la tierra había hecho que aprendiesen lo que es imposible de transmitir: la práctica de la política real. La "praxis", les había dicho el diputado que, ante la mirada desconcertada de ambos jóvenes, no tuvo más remedio que aclarar.

132

Había también otra razón, ahora los unía un lazo de íntima amistad que los transformó mutuamente. De manera que, amigos y compañeros, los dos muchachos compartieron también su idéntico amor por el bandoneón y el tango. A los dos meses de volver ya habían armado un conjunto que, como no admitía dos bandoneonistas, dos veces tocaba Mario y una vez Romerito. La razón de esta desigualdad era que, de vez en cuando, interpretaban un tango con letra y la voz desentonada del italiano no podía compararse con la del afinadísimo tenor santafecino.

Desde que Buenos Aires fue Buenos Aires miró a Europa. Inmediatamente después de consolidar un cierto poderío económico gracias al contrabando de esclavos negros hacia Lima y Brasil (con el cual hicieron negocio los traficantes portugueses y las venales autoridades españolas) trató de ser más blanca que mestiza.

Ya conseguida la independencia, las inteligencias de la generación del ochenta desplazaron la mirada de la escribiente y burocrática España a la Francia cosmopolita y sublimemente culta. El país debía entrar en la era del progreso y el comercio mundial, a caballo de la revolución de los medios de transporte. Para ese país naciente el gaucho era un lastre y las viejas tradiciones una cultura desechable.

Pero como toda acción involucra una reacción, quienes

importaron millones de emigrantes para usarlos como mano de obra de una Argentina productiva, quienes habían fraccionado las pampas luego de desplazar al indio, hacia comienzos del siglo XX sintieron una patriótica nostalgia.

Es que nunca habían visto tanta chusma junta.

Y no solamente por el número increíble de emigrantes llegados, sino porque éstos gustaban de reunirse y asociarse, de reclamar derechos que en sus países no tenían, ni habían soñado con tener, y que, para colmo de males, todo ignoraban sobre el país al que llegaban.

De manera que hicieron florecer un nacionalismo chovinista, ingenuo, elitista y volvieron su mirada sobre el gaucho, que bien mirado era un individuo no carente de valores. Solitario, de alguna manera inofensivo, casi un espectro, y que podía hacerse invisible bajo algunas circunstancias. Allí nació lo que llamamos nuestra tradición.

El 25 de mayo de 1910, durante los alegres festejos del Centenario ocurrió un hecho insólito. En Avenida de Mayo, frente mismo al palco presidencial y después del correctísimo desfile militar, una banda de música interpretó un tango.

En ese momento singular dicha banda estrenó, de Bevilacqua y Timarni, el tango *Independencia*. El invitado, hasta ayer mal visto, música prostibularia de delincuentes y putas, fue presentado a la infanta Isabel y a las cincuenta personalidades diplomáticas de todo el mundo, como una original e inofensiva contribución, una miscelánea pintoresca, la dulce cuota de color local que necesitaba todo país moderno. No se sabe si los visitantes apreciaron la interpretación, aunque aplaudieron condescendientes. Es de suponer que más gustaron del asado con cuero en una estancia sureña, y la caravana de gauchos con sus mejores pingos y aperos, reservados para ellos al día siguiente.

Esa exaltación nativista de la que parecían haber enfermado algunos integrantes de la oligarquía nativa tenía su causa más en el asco que en el amor. Por otra parte muchos cultores de esa música en ascenso no titubearon en componer un sinnúmero de piezas dedicadas al país, a las fechas patrias e, incluso, a la infanta doña Isabel. Es que para circular en sociedad el tango necesitaba mejorar sus modales. En este sentido es muy ilustrativo el caso del mismo Bevilacqua que no sólo tuvo oportunidad de entregar una copia autografiada de su obra a la infanta borbona y de recibir un cálido apretón de manos del presidente Figueroa Alcorta, sino que también una empresa fonográfica contrató su banda y difundió su ahora reconocida obra. Sin embargo la industria del tango patriótico, como todas las modas —por suerte— duró poco.

Es generalmente admitido el hecho de que el tango canción comenzó cuando Carlos Gardel interpretó en 1917 en el teatro Esmeralda, después llamado Maipo, *Mi noche triste* de Pascual Contursi y Samuel Castriota. Ante la sorpresa de buena parte del público Carlitos se mandó con aquella historia de la mujer que había amurado a su hombre dejándole espinas en el corazón. Lo había hecho sabiendo, la muy ladina, lo que él sentía por ella; razón por la cual el pobre varón no hacía desde entonces otra cosa más que emborracharse.

Es comúnmente aceptado que antes de ese día el tango no tenía letra; pero hay estudiosos que sostienen que la tuvo desde el comienzo. Sin entrar en mayores detalles podemos decir que ambas posiciones tienen algo de razón y también que, innegablemente, hacia comienzos de 1913 sucedían dos cosas: ya había algunos tangos con letra y el bandoneón estaba desplazando definitivamente a la guitarra en las formaciones. Además, la revolución gardeliana era tan inminente como ignorada por el propio zorzal, que se abría paso con su amigo Razzano, acompañándose por guitarras.

Dicho sea de paso, una noche del verano de ese año trece, es decir pocos meses después del encuentro de Gardel con Alfredo Palacios en el Café de los Angelitos —y en el que se conocieron por primera vez Mario Pietrasanta y Santiago Romero—, el dúo Gardel-Razzano fue contratado por el cabaret Armenonville. Fue el epílogo de una noche con amigos poderosos, champán y bellas mujeres. Esa noche uno de los dueños del cabaret, apodado Carnerito, le dijo a Razzano que estaba dispuesto a pagarles setenta pesos. Cuando Razzano se lo transmitió a Gardel éste le preguntó si eran por mes o por quincena, Razzano fue a preguntar y volvió con la cara demudada y los ojos brillantes: eran por día. Carlitos se quedó petrificado unos segundos y después respondió:

—Decile que por setenta por *giorno* lavamos hasta los platos.

Los creadores no crean, sólo interpretan lo que inevitablemente está llamado a nacer. El pueblo estaba creando, hacia los años que nos ocupan, un fenómeno cultural único, una nueva identidad jamás soñada por los hombres del ochenta. Y centenares de artistas populares modelaban, sabiéndolo o no, esa nueva criatura. Entre esos cientos, claro, estaba el genio, el genio que signaría la época con su nombre propio. Pero hacia un costado y hacia otro, un poco atrás o algo adelante, rodeando al genio que moriría en Medellín, una multitud de artistas que serían famosos o pasarían inadvertidos interpretaban a un pueblo y parían la criatura.

Nuestros actores, artistas populares que no han sido consignados hasta aquí por la historia, estaban, ellos también, en el puesto de avanzada. Y es de justicia anotarlo, dicho lo cual vale afirmar que el avance de esa música orillera de oscuro origen era ya absolutamente imparable.

No era, claro, el tango patriótico lo que les interesaba a Mario y a Romerito. Tampoco eran músicos profesionales, aunque coincidentes testimonios que este cronista pudo recoger aseguran que no les faltaba talento para serlo. Tuvieron a partir de 1913 marcado éxito en los barrios de la Boca y Barracas.

A esos lugares fue a escucharlos cierta vez un hombre que acababa de llegar de Europa. Atildado, de mirada serena e inteligente, muy dueño de sus acciones y su ánimo, galante y exitoso con las mujeres, tenía, para diciembre de 1913, treinta y ocho años. Nadie lo sabía, aunque le faltaban sólo cuatro meses, Jorge Newbery no cumpliría treinta y nueve.

Amigo de Florencio Parravicini, Carlos Gardel y Alfredo Palacios, Newbery fue el precursor de la aviación argentina. El día de Navidad de 1904 ascendió en un globo de algodón con una capacidad de mil doscientos metros cúbicos de gas, llamado El Pampero, durante las horas diáfanas de la mañana. Lo acompañaron su hermano Eduardo y Aarón de Anchorena. El globo, inflado con gas de alumbrado, viajó desde la Sociedad Sportiva Argentina de Palermo, cruzó el Río de la Plata a dos mil metros de altura, y aterrizó en Conchillas, departamento de Colonia, en la República Oriental del Uruguay.

Poco tiempo después de esa inaugural proeza de la aviación criolla el aerostato se perdería en el Atlántico con Eduardo Newbery y el sargento primero Eduardo Romero a bordo. Había despegado en la quinta Los Ombúes de Ernesto Tornquist y fue avistado por última vez a las diecinueve horas del mismo día en la localidad bonaerense de Moreno.

Jorge era, además de ingeniero diplomado en la Universidad de Drexel de Filadelfia, boxeador, esgrimista y remero. Lo que es menos conocido, pero más importante, es que fue un firme activista en las primeras luchas antimonopólicas, especialmente en lo relacionado con el alumbrado público. No debe extrañarnos este particular olvido, abundan en la historia de este país ejemplos de similares amnesias.

Hizo innumerables ascensos por esos años. Con El Huracán batió el récord sudamericano de duración y distancia al recorrer quinientos cincuenta kilómetros en trece horas, y en 1911 seiscientos sesenta a la increíble altura de tres mil cuatrocientos metros.

Pero hacia los años que nos ocupan el interés de Newbery se había desplazado hacia el vuelo mecanizado, hacia los aparatos más pesados que el aire. Voló a dos mil quinientos metros de altura con un monoplano Bleriót Auzán de treinta y cinco caballos de fuerza y a mediados de 1913 recibió desde Francia el aeroplano más adelantado de su tiempo, un Morane Saulnier, equipado con un motor Gnome de ochenta caballos de fuerza con el que llegó a una altitud de cuatro mil metros.

Por esa época se obsesionó con cruzar la cordillera de los Andes, para lo cual debía superar los cinco mil metros. El inventor Ferdet, creador del poderoso Le Rhone, le fabricó dos motores con la potencia necesaria. Con ellos regresó entusiasmado a Buenos Aires; de ese viaje acababa de llegar la noche tanguera que nos ocupa.

—Ahora vamos a interpretar una composición de Mario Pietrasanta que se llama *El Tiro* —anunció Romerito—, pero ha querido el destino que asistiera a esta humilde velada el mayor de nuestros aviadores, por lo cual el autor la ha rebautizado en su honor *El Cóndor*.

Después de los aplausos de la concurrencia Newbery hizo un leve gesto de agradecimiento.

Tres meses y medio después viajó a Mendoza para hacer los estudios finales del gran vuelo. El 29 de febrero de 1914 concurrió a un almuerzo ofrecido por el gobernador. Durante su transcurso las conversaciones giraron en torno del ansiado raid y de las proyecciones que tendría en el país y el extranjero. Al día siguiente dos jovencitas le manifestaron su deseo de verlo volar y él, que no podía negarse a los deseos del bello sexo, accedió a realizar un vuelo de exhibición. Se dirigieron entonces a Los Tamarindos y desde allí se dispuso a volar un aeroplano de Teodoro Fels, llevando a Tito Jiménez Lastra de acompañante.

Dijo la crónica que al alcanzar la altura deseada Newbery se tiró en "tirabuzón" pero que cuando quiso estabilizar la máquina los comandos no le respondieron.

Diría meses después a los periodistas su copiloto:

—Al hacer el decolaje el aparato perdió equilibrio inclinándose sobre el ala izquierda en forma tan brusca que Jorge sacó un brazo afuera tomándose de la gabaute para sujetarse y no ser lanzado afuera. Siguió subiendo después de estabilizarlo con el aparato totalmente cabreado una cuarta sobre el horizonte. A los seiscientos metros se inició el primer viraje sobre el ala izquierda, luego sobre la derecha y después bruscamente sobre la izquierda. El aparato siguió yéndose sobre la izquierda completamente perpendicular hacia el suelo. Jorge picó más para corregir la marcha, dos o tres veces estuvo a punto de hacer looping pero gracias a su sangre fría pudo mantener el aparato perpendicular al suelo. Cuando por última vez pretendía corregir el ángulo ya era tarde.

A las diecinueve horas de ese domingo primero de marzo un niño informó a la señora Ruiz que en sus campos había caído un aeroplano. Ésta dio aviso telefónicamente a las autoridades. Los médicos de la Asistencia Pública encontraron un cuerpo sin vida con una gran contusión en la región ocular, aplastamiento de la parte derecha del tórax y múltiples fracturas. El otro cuerpo estaba con vida aunque grave.

Los cables informaron al mundo que la desgraciada caída se había producido a las dieciocho cuarenta y cinco. En Mendoza y en el país se suspendieron las fiestas y los bailes.

El tiempo del amor

Tanto desasosiego sintió Rebeca apresada por la gran ciudad que alguna vez creyó enloquecer. ¿Cómo podía una jovencita perder en tan poco tiempo dos patrias, Esmirna y Jujuy, sin sufrimiento ni daño?

Dolorida como estaba se aisló en el estudio. Yomtov y Victoria la mandaron a una escuela normal que estaba sobre la calle Córdoba, frente a una impresionante construcción de Obras Sanitarias traída desde Europa, pieza por pieza, y que aquí se armó como un rompecabezas. En esa escuela había dado clases hasta hacía pocos años un hombre enigmático que enamoró a las mujeres, alumnas o profesoras, con su aura de misterio. Ese hombre, conspirador y tozudo, se llamaba Hipólito y sería, en los tiempos por venir, presidente y líder de la Nación.

Aplicada e inteligente poco le costó el estudio, pero adentro no podía dejar de sentir una agria nostalgia por los áridos verdes y marrones norteños.

Una noche en que la fiebre se había apoderado de ella tuvo una extraña pesadilla, creyó, en su delirio, que volaba sobre los techos de la ciudad que añoraba. Pasaba entonces sobre su antigua casa, para luego planear sobre la terraza de El Nilo y ver a sus viejos amigos y al temido Aparicio con sus pistolas. Pronto ascendía haciendo círculos, observando todo el barrio y después toda la ciudad; pasaba las nubes y se perdía en un mar de vapor blanco. Jamás olvidó esa pesadilla y siete décadas después se conservaba aún fresca en su memoria. Lo curioso es que ella, fóbica a las alturas como era, no recordaba haber tenido ninguna sensación de vértigo durante su delirio; en su fantasía nada le hacía la altura de ese vuelo imposible. Lo que sí reviviría, una y otra vez, era el agudo dolor en el alma y la angustiosa sensación de pérdida irreparable, como cuando descubrimos por vez primera —con indescriptible horror— que un rostro amado se está desdibujando definitivamente en el recuerdo.

Tan ardiente fue su fiebre y compulsivos sus temblores que la madre, asustada, llamó de urgencia al médico y le puso una toalla mojada encima de la frente. El galeno, hombre de escasas palabras, le recetó una amarga medicina con la cual lograron bajar la temperatura. A la mañana siguiente Rebeca supo que tenía que arrancar a Jujuy de su mente, pulverizar su recuerdo, librarse de una memoria que la ahogaba y con la cual no podía vivir. Fue cuando, tambaleante por la convalecencia, caminó por el largo pasillo y fue a dar a la sala de estar amueblada con tres sillones, una mesa, seis sillas y un piano vertical. Aunque apenas si sabía algunas piezas se sentó en el taburete rectangular y tocó, una tras otra, las melodías aprendidas. Esa mañana afiebrada Rebeca descubrió la manera de exorcizar su alma, de huir del dolor.

No hubo día en los años por venir en que Rebeca no estuviese largas horas frente al piano. La adolescente sefardí, venida de Turquía y blandamente conquistada por San Salvador de Jujuy, amaba a Bach y a los románticos. Ardía con los últimos por lo que en ellos había de grandeza y humanidad, cuando escuchaba a Mendelssohn y a Schumann tenía que reprimir sus lágrimas. Nunca pudo explicarse por qué designio, cuando los interpretaba, la catastrófica posibilidad del llanto se diluía. Lo que quedaba presente entonces eran los dedos invisibles de una sutil sensibilidad que, ahora muy dueña de sí, revivía a sus amados con la certeza de haberlos buceado por dentro. A diferencia del vértigo que sentía con los locos románticos, cuando escuchaba a Bach la sobrecogía la sensación de lo perfecto. No lo quería tanto, porque es imposible amar lo perfecto, pero el gran Johann Sebastian funcionaba como una utopía necesaria aunque de alguna manera incomprensible. Fue a los trece años que se enteró con sorpresa de que "el padre de la música", como lo llamaba Yomtov, no había sido un espectral ángel sino un hombre muy real y mundano, con dos matrimonios y veinte hijos.

Hacia 1915 Rebeca, que ya tenía veinte años, se había transformado en una promisoria concertista de fina sensibilidad, que se distinguía por una sólida técnica y un esmerado trabajo en la preparación de las obras. El 15 de diciembre de ese año tenía que dar un concierto con fines benéficos junto a Simón Rosenthal. Simón era un viejo encantador, notable violinista que había llegado al país desde Ucrania en los últimos años de la centuria anterior. Hombre garboso y de finos modales, cuando entraba a un restorán no se sentaba a su mesa sin antes sacarse el sombrero y saludar inclinando su torso a toda la concurrencia, y no porque conociese a los presentes sino justamente por lo contrario, a su juicio no se debía estar bajo un mismo techo sin mediar saludo.

Quiso el destino que el buen Simón enfermara una semana antes del concierto, de manera que se comunicó con Rebeca y le sugirió a un paisano suyo, un muchacho joven, eximio violinista, para que la acompañase. Cuando Rebeca le comunicó a su padre la novedad le dijo que iban a hacer cuatro ensayos y que el primero iba a ser al día siguiente en la salita que tenía dedicada para esos fines la casa de la Sociedad Unione e Benevolenza, institución en la cual harían el concierto. Yomtov no dudaba de su hija pero, fiel a la consigna de que la oportunidad hace al ladrón e ignorante del todo sobre las características del reemplazante de su amigo Simón, le dijo a su hija que la autorizaba siempre y cuando los ensayos se hiciesen allí mismo, en su propia casa.

Cuando al día siguiente Rebeca abrió la puerta y vio al joven reemplazante de Rosenthal se quedó sin respiración. Sus ojos vieron a un muchacho delgado, más bien alto, de cabellos renegridos y ojos grises que muy formalmente preguntó:

—¿La señorita Rebeca Danón?

—Sí, soy yo.

—David Ostrovski, soy...

—Sí, ya sé, lo estaba esperando. Por favor pase usted.

Nuestro conocido David, después de agradecer y rechazar el ofrecimiento de tomar un té, sacó del estuche su violín y pidió permiso para calentar sus dedos. Rebeca, en un rincón de la sala, pudo entonces observar al joven a su gusto. Supo que, además de apuesto, era un músico disciplinado que entrenó sus hábiles manos con escalas y ejercicios durante cinco minutos, pasados los cuales interpretó en honor a su anfitriona una nostálgica melodía que casi hizo nacer lágrimas en Rebeca.

—¿Qué es esta música tan hermosa?

—Es de mi vieja tierra, de Odessa, de donde he venido hace algunos años.

Hay veces en que la emoción hace que los artistas logren llegar al fondo de su alma, tal era el caso de David en esa mañana de verano porteño. Hacía una semana había recibido una carta de su hermana mayor, Clara, en la que le informaba que el viejo Nathaniel había partido. Apenas vio el sobre, que raramente tenía como remitente a su hermana en vez de a su padre, David intuyó, aun antes de abrirlo, que ya nunca volvería a ver a aquel viejo. No pudo dejar de llorar, se dijo que aquello era previsible, que así era la vida, pero el desconsuelo no dejó de amarrarlo. También esa mañana, hacía siete días, había tomado su violín y había hecho salir esa triste melodía que había aprendido del rabí de su viejo vecindario de Odessa.

Cuando Rebeca le abrió la puerta él también quedó deslumbrado por la mirada tierna y la sonrisa llena de vida de la joven. Nada premeditó, pero una vez terminados sus ejercicios quiso obsequiarla con lo que tenía guardado en el corazón que, de tan escondido y reservado, se había convertido en dolor. De manera que cuando escuchó que Rebeca, casi al borde de las lágrimas, le preguntaba "¿qué es esta música tan hermosa?", sintió que ese dolor mágicamente se transformaba en dulzura y la soledad en compañía.

El amor, duende esquivo y frágil, asomó esa mañana en la casa de Yomtov. El egipcio no lo sabía, pero nada tenía que temer, la pasión, aunque presente, fue por su hija sino relegada, bien administrada, hasta que dos años después contrajo enlace con el metódico violinista.

La noche del miércoles 15 de diciembre ambos jóvenes dieron un magnífico concierto junto a sus amigos Schubert, Brahms y Schumann. En la platea Simón Rosenthal gozaba de una excelente salud y aplaudió hasta que sus manos quedaron enrojecidas. Algunos dudaron y con razón ante semejante entusiasmo de que hubiese estado enfermo.

La misma mañana del concierto llegó a oídos de Mario Pietrasanta un nombre y un apellido.

—Es un violinista brillante y ya tiene experiencia en tango —le dijo el boticario.

Dicha información quedó dándole vueltas por la cabeza y reapareció por la tarde cuando Romerito le dijo que era inútil seguir con el violinista del grupo.

—El tano toca todo como si fuese una tarantela —afirmó con razón.

El suceso hubiese quedado ahí pero quiso la casualidad

que al abandonar el salón Unione e Benevolenza David invitara a Rebeca a salir dos días después, el viernes a la noche. La joven, ayudada por la madre y su hermana Berta, logró vencer la resistencia de Yomtov, que seguía preguntándose para qué quería una hija suya conocer a un hombre.

—No te parece que la nena ya está crecidita —le contestó su mujer terminando la conversación y dando como un hecho el permiso del padre.

También al buen azar corresponde que Yomtov, más para dejar incólume su autoridad que por otra cosa, hubiese puesto como condición que no saliesen de las lindes de su céntrico barrio. Y, por último, también debemos achacar a la suerte que la banda liderada por Mario Pietrasanta y Santiago Romero ese viernes saliese de su reducto boquense para viajar hacia las luces céntricas. No era la primera vez, como ya se dijo, que el tango se abría camino viajando desde los arrabales al corazón de la gran ciudad.

Ese viernes 17 de diciembre los cuatro actores de esta historia se conocieron. No ha llegado a nosotros la manera en que Mario supo que ese muchacho, al que se le iban los ojos por la jovencita que tenía al lado, era el mismo al que se había referido el boticario. Es posible imaginar que el farmacéutico haya estado presente y haya sido nexo entre ellos, pero no existen pruebas de eso. Lo que sí se sabe es que cuando la velada promediaba, el violín de David interpretó una pieza de moda por esos días y lo hizo de manera tan admirablemente argentina que Romerito dijo aquello de:

—No sabía que en Odessa había criollos tan arrabaleros.

David, que años atrás, al desembarcar en el puerto recién llegado del Brasil, se había jurado conocer el alma de la música de estas playas que tan bien lo recibían, tomó las palabras del santafesino como el mayor de los elogios.

El rusito David ingresó al conjunto, pero no lo hizo solo, con él la pequeña orquesta adquirió también a una delicada pianista. Una década después aún estaban juntos, Romerito ya no cantaba, pues la Guardia Nueva permitió con sus innovadoras formaciones dos bandoneones y, junto a ellos, estaba el "sordo" Rodríguez ejecutando el contrabajo y Gustavo Latos como segundo violín. Según las épocas tuvieron a uno u otro cantante, algún tercer fueye e incluso alguna guitarra.

147

Pero no sólo la música unió a esos jóvenes, con historias distintas a los cuatro los desvelaba la necesidad de justicia y algunos antiguos rencores. Sabemos ya la historia de Mario y Romerito, socialistas ambos; conocemos también que por culpa de los zares David y su hermano León dejaron el país natal, veamos ahora qué reivindicaciones guardaba el alma de la pequeña niña venida de Esmirna.

A principios de siglo la mujer no era dueña de nada, ni siquiera de sí misma. No eran dueñas de bienes, ni de lo que ellas pudieran producir, ni de los que llevaban a la sociedad matrimonial, ni de los que heredaban; era cosa de varones su administración. Esto siempre había sido así y nunca dio motivos para ninguna otra cosa que la resignación. Pero ahora sucedía un fenómeno único, raro, inigualable.

Ante la necesidad acuciante de más mano de obra, la economía mundial en expansión necesitaba de los brazos femeninos. Y también en este país alejado de los grandes centros las mujeres se incorporaron a la producción. Hay quienes ven el mundo de las ideas y el del trabajo como paralelos y ajenos, incluso en estas pampas se los ha percibido como enemigos, se pertenece a uno o a otro. Sin embargo pocas cosas como el trabajo producen tal riqueza de ideas y nada como éstas hace de aquél el motor de la historia.

Cosas extrañas sucedieron cuando la mujer trabajó. La más evidente es que cuando ganó dinero, fuera mucho o poco, pero especialmente cuando éste era imprescindible, mutó la relación con su hombre. Además, ¿qué otra cosa que la relación entre la hembra y el macho, entre la mujer y el varón, es cimiento de la estructura familiar? Familia que a su vez reproducirá en hijos e hijas las viejas o las nuevas concepciones en torno de los roles de uno y otro sexo. Hacia principios de siglo las sociedades paternales del Occidente positivista y opulento estaban tan gravemente heridas que comenzaron a derrumbarse. En Europa y en los Estados Unidos miles de mujeres exigieron el voto y no pocos hombres las acompañaron en el pedido. Algunos lo hicieron por un legítimo sentimiento de solidaridad, otros porque descubrieron que eran, ellos también, víctimas de su rol de proveedor, de su propia potencia, mutilado su derecho a la humana debilidad.

Eran tiempos de cambio, el feminismo se puso entonces de moda.

En 1909 Selma Lagerlöf obtuvo el Premio Nobel de Literatura y dos años después Marja Sklodowska, aunque conocida por el apellido de su marido —Curie—, el de Química. Ya en 1899 Cecilia Grierson, la primera médica argentina, había participado del II Congreso Internacional del Consejo de Mujeres. Se comprometió allí a crear la filial argentina, compromiso que cumplió hacia finales de septiembre de 1900.

Se realizó entonces una asamblea a la que asistieron miembros de sociedades benéficas, religiosas y de primeros auxilios que eligieron como presidenta de la agrupación a la señora Albina V. Praet de Sala. Pero, como suele pasar, no lo hicieron con las ideas del cambio sino todo lo contrario. La señora Albina y sus amigas no gustaban de las nuevas ideas de avanzada, dijeron que la sociedad argentina no estaba preparada para tales excesos, porque hacía falta —según dijeron— "el ánimo resuelto y varonil que arrebataría sin duda su aureola poética a las jóvenes damas argentinas".

En 1910 se realizó el Congreso Patriótico y Exposición del Centenario que no fue otra cosa que una caricatura de las ideas libertarias del feminismo. Se resolvió allí no luchar por el sufragio por ser la acción de ese Congreso "pacificadora, educadora, controladora y por reconocer que los derechos cívicos deben ser patrimonio exclusivo del hombre culto y moral". El hombre culto y moral, o sea la vieja categoría de "los mejores", como gustaba al paladar de los ochentistas. Sobre la Exposición de Labores y el Congreso la prensa toda se complació de la "mesura y sensatez" con que la mujer celebraba el Centenario.

Claro que no todas las mujeres pensaban igual, y lógico es que así fuera porque, pese a los fundamentalistas de ambos sexos, el pensamiento no tiene género. Cecilia Grierson encontró a Sara Justo y hacia 1902, a Adela, Fenia y Mariana Chertkoff, rusas ellas, acabadas de llegar. Mariana se casó tiempo después con Juan Bautista, el hermano de Sara Justo, y Fenia, escultora e infatigable luchadora, con un compañero de éste llamado Nicolás Repetto. También formaba parte del grupo de mujeres reivindicadoras Gabriela Laperrière, una francesita que había publicado en París el libro *Fleur de l'air* y que sería poco después la primera mujer en el país en hablar en una asamblea política.

En 1911 otra mujer de notables atributos, Julieta Lanteri, tramitó la carta de ciudadanía. La historia cuenta que fue designada profesora adjunta de trabajos prácticos en la Facultad de Medicina, pero había un impedimento burocrático, se exigía capacidad cívica. Entonces, ni lerda ni perezosa, se dirigió a los poderes públicos solicitando se la declarase ciudadana. El 16 de julio de 1911 fue un día histórico, la Argentina contó entonces con el primer ciudadano en polleras y con rouge en los labios. Pero ahí no paró la lucha de Julieta, se presentaría a votar sin conseguirlo, y para el empadronamiento militar sin mejor suerte. Crearía el Partido Feminista Nacional y se postularía como diputada sin conseguir la banca, pero entre las mesas, obviamente masculinas, recogería mil trescientos votos.

El feminismo, como reivindicación de la mitad posterga-
da, no fue una cosa sino muchas. Y fue de una o de otra
manera en relación al mundo del trabajo. Había un feminismo
de salón y bordados y un feminismo de barricada, de manos
curtidas por el trabajo y de intelectuales comprometidas con
su tiempo.

150

Como sabemos, cuando Rebeca tenía doce años, en
1907, bajó a Buenos Aires. Sufrió el desarraigo y el gris duro
del cemento de la urbe, es cierto, pero también la gran ciudad le ofreció un mundo, un mundo más amplio que el de los
bellos paisajes septentrionales. Rebeca fue permeable a las
ideas feministas que convulsionaban la capital. Lo fue por
varios motivos, uno de ellos, no el menos importante, es que
pertenecía a una familia en la que la última palabra la tenía el
padre, siempre y cuando coincidiese con las ideas de su mujer. No era que Yomtov no tuviese su personalidad, sino que
corría en desventaja por dos razones: su mujer Victoria era
más inteligente y astuta y, además, estaba rodeado de
féminas, una esposa y tres hijas, siempre empecinadas en hacer causa común. En esa casa Rebeca aprendió desde siempre
que la mujer podía discutir con el varón y hacer prevalecer
sus puntos de vista, y también que el varón, en su caso
Yomtov, podía ser dulce y comprensivo, ajeno a la ciega
imposición.

Hacia mediados de 1914 ocurrió un suceso que marcó
definitivamente la vida de Rebeca, la muerte de una amiga
que ella no conocía más que por sus poemas.

Delmira Agustini nació en Montevideo en un hogar aco-
modado donde primaban el mal gusto y el convencionalismo.
Tuvo sus lecciones de piano, sus delicados bordados y su Club
Uruguay. Sus padres la prepararon para un buen casamiento,
pero las cosas no siempre salen como se las planea. Delmira

fue poeta, poeta de versos llenos de vida, sensuales, eróticos y atrevidos. Delmira fue una fiera del amor.

El 6 de julio de 1914 en una casa de la calle Los Andes a la altura del número 1206, Enrique Job Reyes, que allí rentaba una habitación, la asesinó, enceguecido, de dos balazos en la cabeza y luego se quitó la vida. Reyes era su ex marido y la amaba fuera de todo límite, eso dijeron por lo menos, lo cual comprobaría que, efectivamente, hay amores que matan. Los diarios montevideanos dieron cuenta de una impiadosa fotografía donde Delmira yacía semidesnuda en el piso.

Delmira era para la época, es decir antes de la moda bulímica, una bella mujer de redondas carnes; durante 1908 había iniciado un noviazgo con Enrique Job Reyes que el 14 de agosto de 1913 terminó en casamiento. Mujer de abrasadas fantasías, esto no le impidió gozar de la amistad de sus amantes antes y después de esa fecha. La convivencia matrimonial no llegó a los dos meses; Delmira, que amaba a su marido, no podía soportar "tanta vulgaridad", como ella misma le reconoció a sus padres.

Seguramente Delmira no ocultaba sus amistades, entre las que se contaba un intelectual argentino que ya conocimos: Manuel Ugarte. Pero el que fuera su novio y marido, y después de la separación amante, no lograba compartirla. Reyes era un hombre católico, originario del interior del país, rematador de ganado y de sólida economía, de quien los biógrafos de Delmira —no siempre bien intencionados con él— han dicho de todo, menos que era sensible. No, no pudo compartir a esa mujer que le había pedido, más bien exigido, antes del matrimonio que la hiciera suya. No logró compartir a la mujer que había escrito:

Que me lograste llamas
en el mármol del cuerpo.

¿A quién fueron dirigidas esas palabras inundadas de pasión?, ¿a cuál de sus amantes?

Ese hombre algo entrado en grasas, de rigurosos y pretéritos principios, seguramente menos torpe de lo que la idealización de Delmira quiso y sus biógrafos creyeron, después de la separación cobró conciencia de que el único papel que le era posible era el de amante. El de un amante. Enloqueció de pasión, que no de amor, aunque se le parece. Arrendó un cuarto en una casa de familia y empapeló sus paredes con fotos de su amada y aceptó encuentros furtivos. Uno tras otro, citas llenas de ardor, que le dejaban secuelas en su alma y en su cuerpo, que lo enloquecían de dolor y de celos.

Por eso la mató, lo hizo por la espalda para que su amada no se diese cuenta de la llegada del final, para que no sufriera. Sin despedidas. Después se mató.

Rebeca nada sabía sobre Delmira mujer, pero sí sobre la poeta incandescente. De manera que completamente ajena a la historia cuando leyó en el diario la noticia del asesinato de su amiga, sacrificada como había sido por el que fuera su marido, pensó que los hombres reclamaban propiedad sobre las mujeres e hizo del triste acontecimiento una bandera para la vindicación de su sexo.

Y, de alguna manera, tenía razón.

Una tarde sabatina Rebeca le refirió la historia de su admirada Delmira a Mario. No esperaba, ciertamente, que su amigo la conociese aún mejor que ella misma.

—Rebeca, yo estuve en el preciso momento en que Manuel Ugarte se enteró de la noticia.

Rebeca se quedó boquiabierta.

—Yo entraba al local y lo vi en un escritorio, estaba hojeando el diario y de repente, lo recuerdo como si fuese hoy mismo, abrió los ojos como espantado, se puso pálido y creo que se le cortó la respiración. Yo me acerqué y le dije "doctor, ¿qué le pasa?" y él, como pudo, me dijo "mataron a una amiga". No dijo nada más. Sólo habló días después, cuando los comentarios iban y venían sobre su relación con Delmira. Entonces le dijo a un compañero que había hecho un comentario ofensivo sobre Delmira, tomándolo de las solapas, "ella fue una gran mujer, no puede decirse lo mismo de usted como hombre".

—¿Eso dijo?

—Eso y nada más.

Rebeca sonrió agradecida.

La chusma

El problema de la Gran Guerra eran las trincheras y el problema de las trincheras la humedad. El agua es la diosa de la vida, por eso también domina en los territorios de la muerte. Durante los inviernos nada lograba contenerla, menos las botas gastadas de los soldados, tan pesadas y cargadas con ese barro oscuro, lo único abundante en esos cubículos miserables. Era noche serena cuando los tres italianos hacían guardia, con sus codos apoyados afuera, en el piso exterior, cada cual con su fusil apoyado sobre la tierra ya sin rastros de vegetación.

Los pies debían dolerles a esos jóvenes e inexpertos soldados. El sargento se había marchado y ellos resolvieron fumar entre los tres uno de los dos últimos cigarrillos que les quedaban. Error que no se hubiese cometido de estar presente el sargento, para quien aquélla era la más cruel pero no la primera de sus guerras. Se aprestaron a fumarlo manteniendo sus posiciones de guardia. De izquierda a derecha el milanés lo encendió, el napolitano dio una segunda y profunda pitada y se lo extendió al romano quien se lo llevó a la boca con los ojos cerrados sosteniéndolo entre el pulgar y el índice, alargó su boca como quien dice u, pero el cigarrillo no llegó a sus labios.

A metros de distancia Johannes, un muchacho de Dusseldorf, la elegante capital de Renania donde Heine pasó su juventud y en la que Robert Schumann encontró sepultura, creyó ver en la sórdida negrura de la noche un pequeñísimo punto rojo. Observó con cuidado mientras preparaba su fusil cuando el punto se movió hacia la izquierda, él lo siguió, lo colocó en la mira. El punto se hizo más intenso y nuevamente se movió hacia la izquierda. Cuando paró, Johannes suspendió su respiración, levantó levemente la mira y disparó.

Semanas después Giuseppe Pietrasanta le extendió a su hijo una carta recién llegada de su hermana. Cuando Mario terminó de leerla levantó la vista y su mirada se cruzó con la de su padre.

—Guerra de mierda —dijo el viejo.

Mario asintió, no conocía a ese primo muerto de nombre Marcello, no conocía a sus camaradas, el milanés y el napolitano, tampoco conocía al joven renano Johannes, pero estaba convencido de que ésa era una guerra de ricos donde morían los pobres; no todos los socialistas pensaban así, pero los Pietrasanta eran fervorosamente neutrales.

Hacia 1916 Europa ya había cumplido dos años de feroz guerra entre los imperios centrales, Alemania y Austro-Hungría, y los aliados, Gran Bretaña, Francia, Italia y Rusia.

Durante febrero los alemanes desataron una terrible ofensiva sobre Verdún, considerada la llave de la defensa francesa, que estaba a las órdenes de Felipe Pétain. Las trincheras fueron un infierno, pero entre balas y pestilencia, barro húmedo y un frío que calaba hasta los huesos, los galos lograron sobrevivir. En esas semanas de ofensiva carnicera murieron ochocientos mil hombres.

En junio fueron los aliados, al mando del francés Joffre y del inglés Haig, quienes trataron de romper las líneas alemanas. La batalla de Somme se prolongó hasta noviembre y costó más de un millón de vidas, gracias a las cuales las tropas aliadas dieron un salto de hormiga avanzando doce kilómetros. Semejante resultado le costó el empleo al comandante francés.

En el frente oriental el duro general Brussllov desató una ofensiva sobre los Cárpatos e hizo temblar los cimientos austro-húngaros, pero hacia agosto el avance se había empantanado y lo que se vino abajo con descomunal estrépito fue el frente ruso. Las tropas zaristas comenzaron a desintegrarse y alemanes y austríacos invadieron Rumania y ocuparon Bucarest.

Promediando el año parecía que la balanza se inclinaba hacia los imperios centrales.

La Rusia de Nicolás II se desmoronaba y parecía que iba a quedar de un momento a otro fuera de combate. El temido Rasputín ya había sido asesinado y el descontento de las masas iba en piramidal aumento. Le quedaba al cristiano imperio apenas meses de vida.

Gran Bretaña se mantenía en pie como podía, boxeador de experiencia, había recibido durísimos golpes. Jorge V, en patriótico acto, había renunciado a su ancestral y germano apellido Hannover para asumir el más británico Windsor. Pero hacía falta algo más para no sucumbir en esa guerra sin igual. En diciembre el Rey le encargó la formación de un nuevo gobierno a un hombre enérgico llamado Lloyd George. No era aristócrata, no impresionaba por su físico, pero era decidido como un águila.

Francia soportaba el mayor peso del frente occidental. Tenía su territorio invadido y el norte industrial se hallaba completamente destruido. Los franceses aún sentían en sus entrañas el terror de 1914, cuando los alemanes estuvieron a punto de entrar en París. Vivían bajo la obsesión de la ruptura del frente, si por algún lugar de las líneas defensivas se filtrase el enemigo la situación sería irreversible, el agujero se abriría fuera de control hasta que el torrente alemán lo inundase todo, ciudad luz incluida.

Italia hacía lo que podía frente a Austria en el Alto Isonzo, pero a costa de fortísimas bajas. Uno de los heridos en ese frente, con fragmentos de granada en su muslo derecho, era un hombre por ahora desconocido llamado Benito Mussolini.

Pero el tremendo aparato bélico de los imperios centrales que alcanzó el máximo de su poderío en ese año de 1916 tenía un talón de Aquiles: en adelante le faltarían reservas humanas, carne fresca para mandar al gigantesco baño de sangre. La industria se veía ya severamente afectada por la carencia de brazos y todo el edificio del Estado comenzaba a crujir. Hindenburg y Ludendorff, dos héroes de guerra si la heroicidad habita en los generalatos, se hicieron cargo del ejército, pero la tendencia no podría ser revertida.

Austria ya estaba inerme y solamente subsistía por la ayuda alemana. Crecían las fuerzas centrífugas que fracturarían el imperio en varias nacionalidades, de manera que la muerte del anciano emperador Francisco José, ocurrida en noviembre, no fue otra cosa que el símbolo del ocaso del imperio. Su sucesor, Carlos I, sería el último Habsburgo reinante y años después la misma Austria desaparecería anexada por el Tercer Reich. Constructor de tan inusitado cambio sería Adolf Hitler, un hombre pequeño, nacido en territorio austríaco, que por esos meses de 1916 era cabo del ejército alemán.

Del otro lado del Atlántico el presidente Wilson seguía los acontecimientos bélicos atentamente. Los Estados Unidos se habían transformado en una potencia respetable, se habían expandido hacia Hawai y la bella Filipinas, dominaban sin disputa alguna el Caribe y Centroamérica y alentaban aspiraciones expansionistas sobre un Méjico devorado por la guerra civil desde la caída de Porfirio Díaz en 1911. Hacia esos días,

en franca violación de todo derecho, andaba por tierra mejicana un ejército norteamericano comandado por el general
Pershing —que un año después sería enviado a Europa— con
la excusa de castigar al mítico Pancho Villa. Esa potencia
americana, agresiva e imperial, no podía permitir la caída de
Inglaterra, su colonizadora y socia. Le arrojaría poco después
un imprescindible salvavidas, sublime gesto que haría por el
módico precio del cambio en el liderazgo mundial.

En la antípoda había resurgido una vieja nación. Cuarenta años atrás Japón era un país atrasado, pintoresco y de complejas y anticuadas tradiciones. Nadie trató de sojuzgarlo,
acaso porque a nadie interesaba. Pero el Japón, bajo la dirección del emperador Matsu Hito, herido en su orgullo nacional, dio un fenomenal salto hacia adelante. Conservando sus
tradiciones devoró todo lo que de técnica y ciencia le pudo
extraer a Occidente y en pocos decenios se transformó en
una potencia industrial y militar. Ante el asombro de Europa
derrotó con facilidad al enorme imperio chino y se apoderó
de Corea y Formosa, para luego poner de rodillas al imperio
de los zares. Para el año que nos ocupa era la principal potencia asiática y luchaba en las filas de las naciones aliadas, pero
en sus planes existían palabras como China, Manchuria,
Hawai, Indonesia y Filipinas.

—Tanito, parece que se está muriendo Gabino —le
sopapeó en la cara Romerito, ignorante de la mala nueva que
había recibido esa mañana su amigo.

Mario, que recién había entrado al bar y aún no se había
sentado a la mesa, sintió una punzada en el pecho, se quedó
callado, giró la cabeza y sus ojos miraron la calle irregular y
solitaria del barrio de la Boca.

¡Se estaba muriendo Gabino!

Pensativos, ambos guardaron silencio. Romerito encendió un cigarrillo y pidió un café. Fue en ese momento cuando recordó que, al bajar a Buenos Aires desde su pueblo, traía entre sus ropas un papel con la dirección de Gabino Ezeiza. Pero había conocido al negro Sebastián y al bandoneón en un bar de mala muerte y se había olvidado del legendario payador. Recordó también que un año atrás, en abril de 1915, una noche otoñal en la que venía de su trabajo silbando bajito le habían dicho que José Betinoti, el gran Betinoti, había muerto de un derrame cerebral. Él había conocido al célebre payador cuando chico, una vez que payó con Higinio Cazón en su Alcorta natal.

Al tano Mario la noticia también le trajo el recuerdo de Betinoti. Él lo había conocido en 1904, cuando el pueblo de la Boca había salido a las calles a festejar el triunfo del candidato socialista; entonces, junto a Benito Chinchella, lo había escuchado improvisar, no en honor al elegido sino al pueblo que lo votó, como se había aclarado para no herir la piel irritable de muchos miembros del Partido que no veían con buenos ojos a ese candidato indisciplinado y personalista que acababa de convertirse en el primer diputado socialista.

—Nos vamos a quedar sin payadores —dijo Mario, pensando en voz alta.

En ese momento entraron al bar David y Rebeca, de inmediato se dieron cuenta por la cara de ambos bandoneones que algo malo sucedía.

José Betinoti había nacido en 1878, en el pueblo de 25 de Mayo. Fue hombre de trabajo desde sus años infantiles ya que la ausencia del padre, muerto cuando él tenía siete meses, lo obligó temprano a llevar dinero a la casa. Pero también siempre supo que había nacido para cantar. Un atardecer de verano le dijo a María, su joven esposa:

—Dejé el conchabo, sabés. Estaba a punto de ahogarme en ese maldito sótano. No hay caso, nací para cantar.

La pareja se mudó a una casa de inquilinato en San Telmo y José comenzó una carrera en la que el éxito nunca estuvo ausente. Fue un gran payador y como cantante tenía una voz de registro limitado pero afinada, limpia y dulce. Fue un magnífico letrista de milongas y piezas populares como *De mi cosecha*, *Lo de ayer y lo de hoy*, y *Pobre mi madre querida*, su gran triunfo en la voz de Gardel.

161

Había estado cerca del socialismo y lo dejó en claro en algunas letras como la que llevaba el título *El Obrero*, aunque también solía ser contratado para cantar por Benito Villanueva, el caudillo conservador del barrio del Abasto. Fue amigo sincero de Gabino Ezeiza, ese negro payador y hombre de Leandro Alem, radical hasta los tuétanos.

La tarde del 11 de octubre en que llegó al bar La Raspa la información del estado de salud de Gabino Ezeiza, Rebeca, que no había conocido a ningún payador en su vida, tuvo una idea gloriosa, aplaudida con entusiasmo por todo el grupo.

Al día siguiente, el 12 de octubre de 1916, un hombre de sesenta y cuatro años, de figura imponente y palabra reposada, viajaba en un coche tirado por caballos al encuentro de su destino. Ese hombre, que jamás había pronunciado un discurso y que no había escrito libros ni artículos periodísticos, ni había tenido nunca mando de tropas, estaba rodeado por una multitud que lo aclamaba jubilosa.

Contemplando ese espectáculo, el ascenso irresistible del caudillo, a más de uno se le revolvieron los intestinos.

Pronto la chusma popular desenganchó las bestias y llevó el coche hacia su destino con su propia fuerza. Símbolo o advertencia dirigida a los enemigos y, acaso, a su propio líder: eran ellos, esa masa anónima, y no los otros, pensaba la multitud, quienes lo ponían en el centro mismo del poder. Episodio este más documentado y real que verdadero, ya que realidad y verdad no significan lo mismo en el a veces oscuro pero nunca caprichoso devenir de la historia.

Hipólito Yrigoyen, tal su nombre, era hijo de un vasco francés llamado Martín Yrigoyen y de Marcelina Alem, hermana de Leandro. Su vida, desde el mismo nacimiento, estuvo impregnada de la levadura del misterio.

162

Decían algunas lenguas insidiosas que don Hipólito, por las masas conocido como el Peludo, era hijo de don Juan Manuel de Rosas. Resulta que su abuelo Leandro (que era Alen y no Alem, porque el apellido mutó después, por capricho de su homónimo hijo) era de la mayor confianza del Restaurador de las Leyes. Había sido un hombre de acción —lo que en esos tiempos era cosa de temer—, perteneciente a la Sociedad Popular Restauradora, o sea a la Mazorca. El abuelo de Yrigoyen y padre de Alem fue fusilado junto al comisario Ciriaco Cuitiño a finales de 1852.

Decían también las lenguas fáciles que don Juan Manuel había requerido los amores de la hija del hombre que lo idolatraba como a nadie, y que, fruto de esos amores, había nacido en julio, cinco meses después de Caseros, un niño al que se llamó Hipólito y que ahora estaba a punto de ser presidente, después de años de luchas y conspiraciones.

Claro que nunca se encontraron pruebas de esto, y el supuesto rubicundo padre de ojos azules nada se parecía al probable hijo de tez mate y ojos algo achinados.

Es posible que los "mejores" hayan inventado la historia para desacreditar a uno y otro, para esa gente ambos representaban lo peor, lo más bajo y sucio. Cierto o falso, Hipólito nunca habló mal del Restaurador, rara esa actitud en épocas en que lo común era catalogarlo como asesino, tirano y degollador. Conservó sí el estigma de haber tenido un abuelo mazorquero —lo que era definitivamente cierto—, acaso con velado orgullo. Y es de suponer que de chico había sido familiarmente adoctrinado más en el amor que en el odio al desterrado caudillo muerto en Southampton.

A esta historia la familia adosaba una tragedia doméstica, una hermana de Leandro y Marcelina se había fugado de la casa paterna para vivir amancebada con un indigno sacerdote.

Decían de ese hombre, ahora ungido presidente, que no era doctor porque al término de sus estudios de abogacía no presentó tesis alguna. Los documentos que seguramente podrían comprobar la verdad sobre este punto han desaparecido, de manera que sólo se puede decir que, un siglo después, la sociedad argentina llamará doctores a médicos, abogados y hasta contadores, casi ninguno de los cuales presentó ninguna tesis. Y no es de extrañar este común y permisivo tráfico de doctorados: si hay una palabra que en estas pampas abre puertas pero nada sustancial implica, ni idoneidad en el oficio ni rectitud ética, es la palabra doctor.

También desaparecidos fueron los documentos que nos podrían echar luz sobre el desempeño que le cupo al joven Yrigoyen cuando en 1872, a los veinte años de edad, fue comisario de Balvanera.

Para completar esta lista de misterios debemos agregar el capítulo de sus amores. Yrigoyen murió célibe pero no casto, regando la tierra que tanto quiso con varios hijos, no tantos como Urquiza, pero que superaron la media docena.

Hija suya era Elena que nació de sus amores con una joven ama de llaves de la familia Alem que pronto desapareció de su vida. Elena fue la única a quien reconoció como hija, aunque no jurídicamente, y la tuvo siempre a su lado.

En cambio negó siempre la paternidad de los otros, aunque ésta fuese un secreto a voces. Tal es el caso de su "hermano" Eduardo, parecido a él como si fuesen dos gotas de agua, y del cual nadie tenía dudas de que era su hijo.

La mayoría de sus vástagos nacieron de la relación amorosa que sostuvo con una hermosa mujer de la sociedad porteña entre los años 1885 y 1890. La mujer murió en algún momento de la década de los noventa de una enfermedad pulmonar. Don Hipólito la quiso tiernamente y se ocupó de ella pero, por alguna razón que no ha llegado a nosotros, no contrajeron matrimonio.

También es nebuloso el conocimiento de su relación con una artista austríaca, viuda de un escritor costumbrista y rico estanciero. Ese escritor la había conocido en una temporada de ópera, se enamoró y casó, pero quiso el destino que pocos años después muriera dejándole a su viuda cierto desconsuelo y una sólida fortuna. A los años conoció a Yrigoyen por motivos comerciales, motivos que pronto derivaron en románticos. La bella artista se recluyó en una finca de la calle Montes de Oca, cercana a la de Yrigoyen que estaba sobre Brasil. Muchas veces citaba a sus seguidores en la esquina de Brasil y Buen Orden (después Bernardo de Irigoyen) pero aparecía caminando desde el lado opuesto a su casa, desde Montes de Oca. Sus discípulos sabían entonces que no venía de su domicilio sino de la morada de su amante.

Como ya dijimos Hipólito Yrigoyen fue profesor en la Escuela Normal de la avenida Córdoba desde 1880 hasta 1905, la misma escuela a la que asistirá, dos años después, en 1907, la bella Rebeca recién llegada de Jujuy. Sus buenas relaciones con el cuerpo docente, especialmente con su segmento femenino, hicieron que el caudillo siguiese visitando el establecimiento e, incluso, permitieron que algunas noches celebrara secretas reuniones políticas. De manera que es posible, aunque del todo incomprobable, que Rebeca lo haya conocido, seguramente sin saber que ese hombre que hacia 1907 tenía cincuenta y cinco años era el viejo y recurrente conspirador radical.

Había ingresado a la masonería más por lo de oculto que ésta tenía que por convencimiento, y por un tiempo se dedicó a ciertas prácticas esotéricas muy comunes en la época.

Se sabe, no hay en esto por suerte misterio alguno, que era un hombre de talento para la fortuna, fortuna que fue bien gastando en su lucha política. Aquéllos eran tiempos de hombres que servían a una causa, no que se valiesen de ella.

Ese hombre que ahora era arrastrado por la multitud hacia el sillón del doctorcito Rivadavia hizo de su vida una continua conspiración. Tenía la costumbre de hacer reuniones en los horarios más inverosímiles y los lugares más extraños, disimulaba su llegada y su salida para despistar a la policía, no repetía los lugares de reunión, cambiaba de coche en los viajes y rehuía los mensajes escritos prefiriendo de común los verbales.

Ese hombre, el día 12 de octubre de 1916, era llevado por una masa bullente al escritorio del poder. ¿Podrían, él y su partido, fundar una nueva política, construida con los ladrillos del interés de la Patria, que no tuviese los ojos fijos en los puertos ingleses, una política de raíz popular y sed vindicatoria, o, como previó el gringo Enrique Ferri, no pasaría de ser un vulgar caudillo sin ideología, otro triste representante de la política criolla?

A las diez de la mañana del día en que Hipólito Yrigoyen llegaba a la Presidencia de la Nación los cuatro amigos se presentaban en una casa del barrio de Flores. Ninguno de ellos conocía a su dueño, pero querían presentarle sus respetos.

Buenos Aires había crecido notablemente en los últimos años. El casco urbano incluía a la Boca por el sur, Flores hacia el oeste y Belgrano por el norte en una masa edilicia continua. Pero quedaban dentro de su perímetro anchos espacios baldíos en los aún incipientes Villa Devoto, Floresta, Villa Luro y Nueva Pompeya. Barrios aislados por verdaderos descampados, comunicados con el centro por las líneas ferroviarias y los tranvías eléctricos. Vehículos estos que eran los únicos que podían transitar los días de lluvia, cuando sus calles de tierra se inundaban, transformándose en un lodazal de barro oscuro. Había varias compañías de tranvías, cada una con su color, la Anglo-Argentina de coches amarillos y la Lacroze distinguida por el verde. Flores era entonces el límite oeste, después comenzaba el campo.

Los amigos estuvieron unos minutos con el viejo Gabino. Habían llevado sus instrumentos y, emocionados, interpretaron para él un par de piezas que el enfermo agradeció con las pocas fuerzas que le quedaban. Después se retiraron porque el payador se encontraba muy cansado.

Gabino Ezeiza era un negro del barrio sur, de San Telmo, nacido el 3 de febrero de 1858. Cuenta la leyenda que a los quince años, estando en la pulpería del pardo Pancho Luna —que en tiempos de Rivadavia había sido un famoso payador—, éste le entregó una guitarra y lo hizo payar con los mayores. El jovencito salió airoso de la prueba. Hubo entre ambos, maestro y discípulo, un gran cariño, incluso era sabido que el negro Gabino heredó la guitarra del pardo, que era la más amada de sus pertenencias.

En aquellos tiempos era común que los payadores enredaran en el clavijero dos cintas, una blanca y otra celeste, en homenaje a Manuel Belgrano que, por esa época, aún no era un bronce duro e inconmovible. En la mente del pueblo el patriota era recordado como un líder de valor y entrega insuperables, tan fresca aún estaba la epopeya del pueblo del norte, ese que bajó a Tucumán incendiándolo todo para que los españoles no encontraran animal ni semilla apta para alimentarse. Cosa rara a veces el sentimiento del pueblo. Belgrano, militar con más derrotas que victorias, era amado por esos nobles fracasos, por el Éxodo Jujeño, por su entrega y sus pelotas. De manera que muy de chico Gabino supo inventar piruetas de palabras que muy a menudo cantaban loas a ese general del pueblo, muy respetado por San Martín, muerto joven y pobre, olvidado por los de arriba —que muy ocupados en otra cosa estaban en el año 20— y querido por los de abajo.

Cuenta también la historia que en 1888 Gabino visitó la República Oriental del Uruguay y en el teatro José Gervasio de Artigas compitió con el más famoso payador de la tierra de los más grandes payadores, el oriental Arturo Navas. El teatro estaba repleto de un nutrido y atento público. Aún el pequeño y hermoso país oriental sangraba el desprecio de Buenos Aires porque Artigas, el más notable caudillo de su siglo, no quiso construir la república que construyó: por su sangre corrían sin dilución los sueños de la patria grande. Pero a Buenos Aires, que hablaba más inglés que Montevideo, no le convenía semejante utopía. Dice la historia que cuando la balanza se inclinaba hacia el negro Gabino el público se puso belicoso. Era lógico, que siempre fue excepción discriminar entre el interés de los pobres y el de los ricos comerciantes, que si bien porteños eran todos, no todos eran lo mismo. Gabino entonces, con la habilidad ladina de su raza, hiló unos versos que dejaron en claro a la concurrencia de qué lado estaba ese negro:

Heroico Paysandú yo te saludo
La Troya americana porque lo es
Saludo a este pueblo de valientes
Y cuna de los bravos Treinta y Tres

Entonces el público interrumpió con aplausos y no faltaron efusivas vivas, inusualmente fraternales en la historia de estos dos pueblos condenados a idéntico destino.

Años después en el teatro Politeama tendría memorables payadas con Betinoti y Federico Curlando, muy amigos suyos, muy de sus íntimos afectos.

Por años Gabino Ezeiza acompañaría a Leandro Alem,

de pueblo en pueblo, en innumerables pequeñas localidades y vecindarios perdidos. Y lo haría también con el sobrino, convertido en nuevo líder del Partido, después de que don Leandro cometiera suicidio.

La historia dice también, y no miente, que horas después de que los cuatro amigos —ninguno de los cuales había sido seguidor de la Unión Cívica Radical— dejaran la casa, mientras Hipólito Yrigoyen era llevado por la multitud, cuando por fin el partido de Alem accedía a la presidencia, dejaba de latir el corazón de Gabino Ezeiza. No fueron los únicos en despedirse del negro, una multitud menos numerosa y más dolorida que la que acompañaba a Yrigoyen veló sus restos esa madrugada.

Palabras escandalosas

Ese miércoles 8 de noviembre la Reina del Plata despertó, todavía somnolienta, desde los suburbios con perfume a
malvones hacia el centro burbujeante.

Adela Luccini, la jovencita que el último día de 1909 había
asistido a las escandalosas palabras que Cesare Paganni pronun-
ciara en la Confitería Ideal, había olvidado, en todos esos años,
la sensación de desasosiego que predicciones tan tremendas le
habían causado. Muy temprano mientras desayunaba volvió a
percibir aquel sentimiento olvidado; primero hizo culpable a su
próxima maternidad, al ansioso miedo que provoca en las
mujeres la espera de dar a luz. Pero algo dentro suyo le dijo que
no debía adjudicar a su avanzado embarazo el recuerdo de aquel
hombre bello de apocalíptico mensaje.

No se atrevió a confesarle a su esposo el motivo de sus
tribulaciones, al fin de cuentas el divino cometa había pasado
sin causar mayores desastres, salvo, claro, la terrible guerra
que desataran las naciones europeas.

Pero es bien sabido que el razonamiento no siempre —o
casi nunca— logra hacer sordos los truenos del alma cuando
ésta cruje, cuando, sin saber por qué, el corazón se nos sale por
la boca. Mujer de razonamiento más proclive a lo esotérico que
al frío cientificismo tan en boga, siguió su día con imperiosas
prevenciones.

También Mario Pietrasanta se despertó muy temprano; aún

no había salido el sol cuando tomó su habitual desayuno antes de salir para la fábrica. Hacía un par de años se había casado con Franca, la bella hija de la señora Francisca, la de los notables almuerzos dominicales, a quien todavía debía conformar tocando alguna melodía italiana en su bandoneón. Franca era maestra y aún tenía un par de horas para el sueño antes de ir a la escuela.

Se había casado por la doble insistencia de doña Francisca y de algunos compañeros del Partido que parecían no tolerar la vida sin obligaciones. Lo cierto es que terminó aceptando, pero no por eso, sino porque Franca no quería saber nada con ir más allá de ardientes besos antes de contraer matrimonio. Cuando aceptó, su suegra, envalentonada con la victoria, pretendió que fuese por iglesia.

—Si no es ante Dios no vale de nada —le dijo.

—Entonces no me caso.

—Pues no se case m'hijo, no tengo ninguna urgencia en perder a Franquita.

—Eso sí, voy a reconocer a la criatura —y se fue.

A la señora hubo que administrarle sales y su hija debió jurar acerca de su virginidad para que se repusiese. Pero no le quedaron más ganas de andarse con vueltas con ese jovencito a quien, por otra parte, había soñado para su hija desde que él tenía pantalones cortos.

Estaba recordando esto cuando Franca se despertó sobresaltada.

—¡Mario!...

—¿Qué, mi amor?

—Pasa algo. Siento que pasa algo.

—Dormite, tanita, aún es temprano.

Estaba cerrando la puerta de la habitación cuando Mario escuchó otra vez la voz de su mujer.

—Me parece que algo va a pasar —repitió y se durmió.

Hombre acostumbrado a secas deducciones, esa mañana Santiago Romero no tuvo premonición alguna; tampoco la dulce Rebeca, pero sí su compañero David, aunque él creyó que no era una premonición sino un recuerdo, la memoria de una carta que había recibido hacía un tiempo.

Meses antes, a mediados de abril, había recibido un sobre que tenía como remitente a Clara, su hermana mayor. Esa vez las tres carillas, llenas con su prolija y redonda letra, no se deshacían en la nostalgia y el dolor, nada decían referido a que lo extrañaba. Tampoco le recriminaban que ella no conociese a Rebeca, ni ésta a su familia, ni que ninguno de los dos hubiera podido ver los ojos azules de su segundo hijo. Nada decían de todo eso. Esa mañana del 8 de noviembre de 1917, sin motivo aparente, David recordó aquellas líneas angustiadas de Clara que le anunciaban que algo había cambiado de manera brutal y definitiva.

"Tengo miedo, David. Espero que de un momento a otro las tropas vengan al pueblo y destrocen todo, asesinen a los partidarios del nuevo régimen, tomen venganza... Siento pavor, un miedo terrible... Han caído los padres, padres autoritarios y asesinos, que nos golpeaban con crueldad una y otra vez, pero que nos daban la ley.

Ya sé lo que me vas a decir, puedo escucharte, 'que esa ley no es justa, que los zares han sido la causa de todos los males, que los judíos nada les debemos'. Es cierto, lo sé, pero tengo miedo."

—¿Qué te pasa David? —le preguntó Rebeca.

—Pensaba en la carta de Clara.

—...

—Tenía miedo, mucho miedo.

Antes de terminar ese día David sabría que las premoniciones, a veces, se visten con las ropas del recuerdo.

Diez siglos antes de que Clara mandase esa atribulada carta a su hermano se formó la Rusia de Kiev. Una centuria después, hacia el año 988, adoptó el cristianismo como religión oficial; pero ya era historia antigua hacia el siglo XII a causa de sus fraticidas luchas intestinas. Como resultado sus súbditos estuvieron doscientos cincuenta años bajo el dominio de tártaros y mongoles. Recién en el 1380 las fuerzas del gran príncipe moscovita Demetrio pudieron dar un golpe definitivo a los invasores y, un siglo después, los rusos recuperaban todo su territorio.

Entre los siglos XIV y XVI se forjó el sentimiento de pertenencia que llamamos nacionalidad. En el siglo XVII Rusia rechazó la intervención polaco-lituana y Ucrania se le unió en un estado único. A finales de ese siglo y comienzo del siguiente Pedro el Grande, hombre de aguda inteligencia y sobrehumana determinación, consolidó la nación con brillantes victorias. Penetró en Asia y obtuvo una salida al mar Báltico, lo que constituyó una ventana hacia Europa. También forzó a Persia, anexándose tres provincias y dos puertos persas sobre el mar Caspio.

Dice la historia que en cierta oportunidad le dijo a Bering que fuese hacia Okhotsk, donde —según le habían dicho— la costa se unía con la de América. Al tiempo Bering le informó que las tierras de ambos continentes, efectivamente, se tocaban.

Con las anexiones de territorios del norte, Volga, Urales, Siberia y las grandes estepas del oriente, más la integración voluntaria de pueblos no rusos, se formó un estado multinacional, el Imperio Ruso.

En 1783 otra expedición de cuatro buques salió de Okhotsk hacia Japón. Después de navegar dos días por las costas niponas los barcos anclaron y comerciaron, pero sin atreverse a desembarcar porque en el siglo anterior los japoneses habían expulsado a los extranjeros. Ése fue el primer contacto entre Rusia y el Japón cerrado, aún sin ambiciones expansionistas.

El gobierno de Pekín, mientras tanto, no sentía inquie-

tud por detener el avance ruso en Siberia. Hubiera podido
exhibir los derechos del emperador como heredero legítimo
del Gengis Khan, a quien había correspondido la extensa región que estaba entre los Urales y el Pacífico. Pero no lo hizo,
por ahora estaba ocupado en otra cosa. Una sola vez, al comienzo del avance ruso en la gélida Siberia, se agitaron los
chinos para impedir que los cristianos construyeran fuertes
en la región de Amur. Entonces se firmó el tratado de
Nerchinsk, el primero entre China y una nación europea.

El Imperio tuvo que rechazar hacia 1812, más para su
mal que para su bien, el poderío invicto de Napoleón. No
será la última vez que los europeos del oeste sufran la embos-
cada climática que los rusos preparaban solamente con el re-
curso de resistir y esperar. Es que el invierno en esa tierra fue
siempre un arma letal, insuperable para los invasores.

Hacia mediados de siglo Rusia era un país agrícola y
atrasado que conservaba todavía un régimen feudal. Estaba
gobernado por los zares, cuyo poder, a diferencia de los
monarcas occidentales, no reconocía límites. La estructura
social era una pirámide de amplia base, arriba los clérigos y la
nobleza, que guardaba para sí los puestos de la oficialidad del
ejército y las tierras, claro. Después, una escasa clase media
formada por los campesinos ricos, los kulaks, y algunos pocos
capitales dedicados a la industria y al comercio. Y abajo los
campesinos y los obreros industriales, que carecían de todo
derecho y quienes, si los años no eran de buenas cosechas,
quedaban a la merced de terribles hambrunas.

Claro que, como la gota que horada la piedra, el pensamiento y las libertades burguesas terminaron entrando en el
gran imperio. El zar Alejandro II se instaló en una corriente
de cambio que favorecía a los gobiernos locales y que terminó, hacia 1861, con una reforma agraria que abolió la servi-
dumbre. Se abrieron las escuelas y las universidades a los
jóvenes que no pertenecían a la nobleza, fenómeno que tuvo,

como veremos, algunas consecuencias inesperadas. Lo cierto es que el zar promotor de cambios fue asesinado dos décadas después y su sucesor, Alejandro III, dio marcha atrás endureciendo la política del régimen.

En 1894, cuando Charles Gardés, posteriormente Carlos Gardel, tenía cuatro años, y el obrero italiano Giuseppe Pietrasanta llegaba al puerto de Buenos Aires con su mujer ya gravemente enferma y su pequeño hijo Mario, asumió el trono del imperio ruso el fiero Nicolás II.

Pero para esa época algo había cambiado en la madre Rusia; había crecido la industria hasta ubicarse a la altura de algunos países occidentales y los jóvenes que habían accedido a las universidades como consecuencia de las reformas del zar Alejandro II habían constituido una notable elite intelectual, mentes abiertas que reinterpretaron la historia del país.

En 1883 el marxista Georgi Plejanov creó el Grupo Emancipación del Trabajo, que quince años después desembocó en la fundación del Partido Obrero Socialdemócrata de Rusia. El joven partido, en su segundo congreso de 1903, quedó dividido en dos alas, *mencheviques* y *bolcheviques*, que en ruso significan minoría y mayoría. La discusión giraba alrededor de la posibilidad de que el proletariado, en un país atrasado de población mayoritariamente campesina, pudiera llevar adelante una revolución obrera. Dicho de otra manera, si el socialismo podía darse sólo a condición de tener, previamente, un desarrollo capitalista que formulara con claridad la contradicción entre las dos clases antagónicas, la burguesía y el proletariado. Decididos defensores de la tesis de Karl Marx, que sostenía el inevitable desarrollo capitalista previo, fueron los mencheviques, pero para su desgracia eran minoría. Y los bolcheviques, comandados por Vladimir Ulianov, Lenin, no parecían tener tanta paciencia.

La discusión provocaba agrios enfrentamientos y no pocas acusaciones, no solamente en Rusia sino en todos los países no desarrollados, incluso en un lejano país que, cruzando el Océano, estaba convirtiéndose en el granero del mundo.

Pronto mayoría y minoría intercambiaron su poder aunque no sus nombres, de manera que por largos años los menos fueron bolcheviques y los más mencheviques. Especialmente después de los acontecimientos de 1905.

La guerra contra el Japón había dejado al imperio de los zares en una desastrosa situación, los alimentos escaseaban y los precios se habían disparado hacia las nubes. En enero de ese año una manifestación pacífica dirigida por el pope Gapón llegó hasta el Palacio de Invierno, en Petrogrado, donde pidió mejoras en los salarios, en las condiciones de trabajo y la convocatoria a una Asamblea Constituyente. Los cosacos cargaron contra ellos quedando tirados en el empedrado una multitud de cadáveres.

Ese día fue un quiebre en la historia.

El pueblo había ido a pedir; tenía aún la visión del zar como benefactor, como padre de la santa Rusia. Fue a partir de ese día que vería en el zar a un tirano contra el que dirigiría todo su odio.

No sólo los socialdemócratas eran enemigos jurados de los zares, había muchos liberales que ya no soportaban el gobierno autocrático y que ambicionaban para Rusia una democracia representativa como las que había en Europa y en el magnífico Estados Unidos.

Ese año de 1905 fue presentado en la corte zarista Grígori Yefímovich. Había nacido en 1872 en Pokróvskoie, Siberia, y no había recibido formación alguna, lo que no impidió que en 1901 abandonase a su familia para predicar sus enseñanzas y publicitar sus poderes curativos. Rasputín, que así se lo conocía, causó una onda impresión en la zarina Alejandra Fiódorovna, a quien hizo creer que podía aliviar el sufrimiento de su hijo Alexis Nikoláievich, el heredero del trono.

El zar Nicolás II no pasó a la historia ni por su prudencia ni por su inteligencia, cualidades de las cuales carecía por completo, sino por su terca crueldad. Cuando Europa se incendió en la Gran Guerra, contra la opinión de su pueblo, embarcó al país en un conflicto para el que no estaba preparado; quince millones de hombres fueron reclutados para el ejército y llevados al frente mal armados y peor vestidos. Los alimentos volvieron a escasear y los precios ascendieron nuevamente hasta las nubes. El hambre sacudió a Rusia.

El zar, ocupado en su guerra, dejó que Rasputín controlase el gobierno, y el monje se ocupaba de sus deberes en el tiempo libre que le dejaban sus orgías. Finalmente fue asesinado por un grupo de aristócratas que lo invitaron a una fiesta la noche del 29 de diciembre de 1916.

El 23 de febrero de 1917 según el calendario juliano que usaba el país de los zares, el 8 de marzo según el más extendido calendario gregoriano, una manifestación en Petrogrado celebraba el Día Internacional de la Mujer. Los bolcheviques, que eran agitadores profesionales, lograron imponer su consigna: "pan, paz y abajo la autarquía". La manifestación fue duramente reprimida pero el pueblo, que se sentía alcanzado por la muerte que ya rozaba sus talones, clamó venganza. Es que nada tienen para temer los que ya han perdido todo. ¿Qué más podía pasarle a ese pueblo por siglos manso, si sólo le quedaba la muerte, de hambre o en las trincheras?

El zar, ante el cariz que tomaban los acontecimientos, hizo retroceder tropas hacia la capital, pero los soldados se negaron a reprimir. Cuatro días después, el 12 de marzo, caía el zar. En todo su vasto imperio una electricidad contagiosa recorrió las almas y muchos, como Clara Ostrovski, la hermana de David, sintieron a un mismo tiempo alegría y pavor. El orden caía, con la debilidad de un dios falso, estallaba, se hacía añicos.

Se formó entonces un gobierno provisorio, en el que

tenían participación constitucionalistas, kadetes y mencheviques, presidido por el conde Lvov y el liberal Alexadr Kerensky. Parecía que la revolución burguesa prevista por los marxistas más ortodoxos, la que debía llevar progreso a la nación, estaba en marcha.

Y acaso así debió ser si sus líderes hubiesen hecho lo que habían prometido y el pueblo esperaba, para lo cual debían empezar por firmar inmediatamente la paz, y terminar con esa guerra que desangraba a la nación.

Pero por motivos que escapan a esta breve crónica no lo hicieron. Seguramente muchos de sus dirigentes, y los hombres y mujeres por ellos dirigidos, tenían buenas intenciones, que al final empedraron el camino del infierno.

Mientras tanto los bolcheviques no estaban quietos, como sabemos —si algo nunca pudieron hacer los bolcheviques fue estarse quietos—. El 16 de abril (según nuestro calendario) don Lenin regresó de su largo exilio. Dijeron algunos que fue ayudado por los alemanes que le habían puesto un ferrocarril a su disposición ya que estaban más interesados en la paz que en sostener ese desgastante frente norte en una guerra que para ellos ya era defensiva. Es posible. Como sea, el líder bolchevique llegó con su gorrita y lo primero que dijo, así nomás, como si fuese lo más natural, fue aquello de "todo el poder a los soviets".

"Todo el poder a los soviets". Palabras que sonaron tan escandalosas como las predicciones alocadas que hiciera años atrás, del otro lado del mar, Cesare Paganni. Lenin y Paganni presagiaban, cada uno a su manera, el fin del mundo.

Kerensky, que no sabía cómo hacer para contentar a las fieras, pensó que era lo único que le faltaba, y los mencheviques, en medio de sus tira y afloja con Kerensky, creyeron que había parido la abuela.

Para colmo de males el 4 de mayo llegó León Trotsky, que para sorpresa de muchos ya no estaba con los mencheviques sino que llegó a un acuerdo con Lenin. El caldo se puso más espeso. Ahora bien, Lenin y Trotsky tenían un problema, las masas los miraban, los escuchaban, los estudiaban, pero no los seguían.

Hasta que alguien corrió en su ayuda. El segundo gobierno provisional tuvo la buena idea de una avanzada en el frente que, como era de esperar, terminó en un desastre. El descontento llegó a tal punto que terminó en una feroz represión obrera y en la caída del gobierno. Muchos dirigentes bolcheviques fueron presos, Kamenev y Trotsky fueron detenidos aunque por poco tiempo y Lenin huyó clandestinamente a Finlandia.

Se formó un tercer gobierno de coalición cuya idea fija fue destruir a los agitadores bolcheviques. El 7 de septiembre el general Korniloff empezó a avanzar sobre Petrogrado, pero no para defender al débil gobierno que había apoyado, sino para instaurar una dictadura que pusiese un poco de orden en el conventillo.

No pudo.

Así llegamos al 23 de octubre en que el Comité Central Bolchevique decidió la toma del poder y, dos días después, el Soviet de Petrogrado ya estaba alegremente abocado a la preparación de la insurrección, bajo la dirección del inquieto Trotsky, hombre de indudables talentos y gran organizador.

Las cartas ya estaban echadas, el 7 de noviembre se produjo el asalto al poder. No tardarían en forzar la paz, las promesas debían cumplirse. Por lo demás los bolcheviques tomaron el poder casi incruentamente, la sangre vendría después.

Al día siguiente, el 8 de noviembre, llegaban las primeras noticias a Buenos Aires. *La Razón*, por ejemplo, informaba con los austeros titulares en uso en la época:

DEPOSICIÓN DEL GOBIERNO RUSO POR UN GOLPE DE ESTADO
LOS MAXIMALISTAS DUEÑOS DE LA SITUACIÓN EN PETROGRAD

Y más abajo titulaba: "El Consejo de Obreros y Soldados propondrá la paz inmediata" y "Disolución del Parlamento". Aclaraba en el texto: el señor Trotzku, (sic) presidente del Comité Central del Consejo de Obreros y Soldados, anunció que el Gobierno Provisional ya no existe y que varios de sus miembros fueron arrestados.

En su entrega del 9 de noviembre informaba que "el Comité Central Revolucionario Militar decidió traer a Petrograd al general Korniloff y a sus partidarios y encerrarlos en la Fortaleza de Pedro y Pablo. Los citados militares comparecerán ante un tribunal militar que los juzgará".

Más prudente, *La Vanguardia*, órgano oficial del Partido Socialista, en su edición del 8 de noviembre, después de informar en la primera página que, a causa de la lamentable suba del papel, su dirección estudiaba si debía subir el precio de venta y las suscripciones, anunciaba recién en la segunda página:

ALZAMIENTO DE LOS MAXIMALISTAS
SE APODERARON DEL BANCO DEL ESTADO
DECLARACIONES DE COSACOS

Al día siguiente, 9 de noviembre, la información subió a la primera página así titulada:

EL ALZAMIENTO DE LOS MAXIMALISTAS
KERENSKY DEPUESTO
EL NUEVO GOBIERNO REVOLUCIONARIO
PROPONDRÁ UNA PAZ INMEDIATA

Mientras en una nota comentaba que "la situación interna de Rusia que de algún tiempo a esta parte venía agravándose acaba de tomar un giro inesperado con el triunfo de los maximalistas en Petrograd. (...) Las noticias algo confusas sobre la situación de Rusia no permiten conocer con exactitud la extensión del éxito de los maximalistas."

El 10 de noviembre *La Vanguardia* titulaba en página dos:

LOS COLABORADORES DE KERENSKY ARRESTADOS
TRASLADO DE KORNILOFF A LA FORTALEZA DE PEDRO Y PABLO
ADHESIONES A LOS MAXIMALISTAS

El 14 de noviembre volvió a titular, esta vez en la primera página:

INFORMACIONES CONTRADICTORIAS
RUMORES DE DERROTA DE LOS MAXIMALISTAS

El 15 en la página dos:

SE ANUNCIA LA TOMA DE PETROGRAD POR KERENSKY
SIN CONFIRMACIÓN DE LA NOTICIA

Por fin el 19 de noviembre pudo confirmar:

LOS MAXIMALISTAS EN EL PODER

Cuando el doctor Adalberto Layo llegó a su casa para almorzar, le comentó a su esposa Adela la noticia aparecida en los diarios. Maximalistas, leninistas, bolcheviques o como se llamasen esos extremistas habían tomado el poder en Rusia. Adela tuvo un escalofrío, tan fuerte fue su conmoción que se le deslizó de su mano derecha la copa de vino y su contenido fue a manchar el blanquísimo mantel. Su esposo, pensando que había tenido una fuerte contracción, fue a socorrerla; la cara de Adela no podía presagiar otra cosa, estaba pálida como la nieve de Siberia.

Sin embargo no fue una contracción y el médico aseguró que todo estaba en orden. Cuando el facultativo se hubo ido la esposa se preguntó si aquello podía ser la plaga que había anunciado Paganni. "Una plaga inaudita —recordó las palabras exactas— que cegará los sentidos, que oscurecerá el pensamiento, que ahogará las almas."

Podía ser que Paganni se hubiese equivocado en lo de las dos etapas. Tembló ante ese pensamiento.

"¡Será el fin! —resonaron las palabras escandalosas del profeta dentro de su mente—. Un fin infestado de pestilencia, de líquidos biliares degenerados, de manos crispadas y de costras en la piel que provocarán el peor de los dolores."

Tembló.

"¡Entonces los que ahora no mueran querrán haber muerto!", terminó de ser dicho el oscuro vaticinio.

Mario Pietrasanta viajó en tranvía como todos los días. Hombre poco talentoso para las premoniciones arrojó su cansancio en el asiento y puso la mente en blanco. Se bajó en la esquina acostumbrada donde las vías cruzaban la calle Olavarría y caminó las ocho cuadras hasta su pensión. Durante ese trayecto nada le dijeron el aire inquieto de la tarde, los gorriones volando de aquí para allá, ni los perros de mirada lánguida de la pescadería de don Pascual. Nada supo entonces.

Al abrir la puerta de su cuarto de pensión no tuvo sospecha alguna aunque el rostro luminoso de Franca tenía una expresión rara, que no era de angustia ni desasosiego, una mirada sin preguntas que esperaba una respuesta.

Mario le dio un beso, se lavó las manos en la fuente y, como todos los días, se sentó para merendar. Mientras esperaba hojeó *Origen de la propiedad privada, el estado y la familia* —al día siguiente tenía que explicarlo a doce jovencitos, muchos de ellos hijos o hermanos de compañeros, en la nueva biblioteca que había abierto el Partido en Barracas.

"Al llegar a cierta fase del desarrollo económico, que estaba

ligada necesariamente a la división de la sociedad en clases, esta división hizo del estado una necesidad." Pero Mario perdió la concentración, algo pasaba. La amorosa Franca siempre tenía todo preparado, el pan con algo de dulce y el mate cocido no tardaban mucho en aparecer. Un hilo de su mente se desvió del texto, ¿estará enojada?, se preguntó.

Pero no recordaba ninguna desavenencia y, verdaderamente, nada había pasado ni la noche anterior ni esa misma mañana. Antes de levantar la mirada pasó por la mente de Mario la imagen de su mujer desnuda, blanca y suave entre las sábanas, y en el momento mismo en que comenzó a alzar la cabeza y la mirada dejó de estar en el libro, por las neuronas y axones de su cerebro pasaba, titilante, la fotografía de los hermosos ojos de Franca. A medio camino entre el libro y la habitación Mario Pietrasanta se dijo que amaba a esa mujer.

El marido esperaba ver a su esposa con el delantal a la cintura trayendo la ansiada bandeja, pero no... en efecto Franca tenía puesto su delantal, pero no traía nada, más aún, estaba sentada y lo miraba con una expresión extraña.

Cuando Franca le dijo a Mario las últimas noticias escudriñó la reacción de su marido. Fue un golpe, no sabía si gritar de alegría o arrancarse los cabellos de rabia.

—¿Qué me decís, Mario?

¿Y qué le iba a decir? Que el Partido discutía, que su grupo no estaba de acuerdo con los hombres de Lenin, que la maldita guerra lo empeoraba todo. Volvió instintivamente la mirada hacia el libro, sabía de memoria de qué manera seguía el texto, *"ahora nos aproximamos con rapidez a una fase de desarrollo de la producción en que la existencia de estas clases no sólo deja de ser una necesidad, sino que se convierte en un obstáculo..".* Recordó a su padre, muerto hacía un año, ¿qué pensaría el viejo? Se acordó de los 1° de Mayo, los brazos levantados, los puños cerrados y las banderas rojas. Se vio a él mismo a los cinco años, en los hombros de ese obrero, sus manitos hurgando la cabellera negra sintiendo, intenso, el perfume varonil de la piel de Giuseppe.

Cuando Mario Pietrasanta levantó nuevamente la mirada hacia su mujer tenía los ojos completamente inundados de lágrimas. Mierda, ojalá tengan razón, pensó, deseaba con todas sus fuerzas estar equivocado.

—Ojalá viviese el viejo, estaría contento.

Cerró los ojos, no le gustaba llorar.

—Pobre infeliz, nunca tuvo una alegría —alcanzó a decir antes de que los brazos de su mujer lo abrazaran, intentando inútilmente cicatrizarle la herida.

"Las clases desaparecerán de un modo tan inevitable como surgieron en su día. Con la desaparición de las clases desaparecerá inevitablemente el estado", repitió su memoria las palabras del viejo Engels.

Rebeca y David se enteraron horas antes. Ese día habían quedado en almorzar juntos en lo de Yomtov. El egipcio les mostró el diario y se puso a mirarlos con atención. Él no tenía opinión formada y, aunque sensible al dolor de los que menos tenían, no era afecto a las ideas socialistas. Pero su hija, que siempre había preguntado todos los porqué, niña rebelde de incómoda precocidad, le había salido feminista. No gustaba Rebeca del feminismo de salón, de sus bordados y su caridad, sino de un feminismo militante y contestatario, y eso la había volcado hacia el socialismo.

Después de leer las noticias en silencio Rebeca se paró y caminó hacia el piano sintiendo que un escalofrío le recorría el cuerpo.

—Se van a quedar solos —dijo—. Solos. Los bolcheviques contra todos.

David no dijo nada, la política no era su mundo. Pero al

terminar de leer las noticias recordó a su hermano, que tuvo que huir de la policía zarista por haber salvado la vida de un desconocido; evocó a Nathaniel, su padre, ese hombre justo que los alentó y les dio sus ahorros. Cuando escuchó a Rebeca decir que los bolcheviques se iban a quedar solos vino a su mente un rostro redondo de increíble ternura, unas manos pequeñas y unos ojos tristes y negros. Hacía un tiempo que se había propuesto no pensar más en su madre, tan grande era el dolor de su nostalgia.

184

Rebeca vio algo extraño en el rostro de David, se acercó, le acarició la frente y le preguntó:

—¿No te parece que se van a quedar solos?

David memoró la despedida de su familia judía de Odessa y la larga travesía a través del océano y sintió en el estómago el puñal de su soledad, pero, súbitamente despertado de su ensimismamiento, buscó apresuradamente una respuesta.

—Shtendik zainen zei guevein alein —dijo.

Rebeca y Yomtov se miraron extrañados.

—¿Cómo?

David rió.

—Siempre estuvieron solos —dijo, ahora en español.

A Santiago Romero, el hijo de la bella Deolinda, unos compañeros lo fueron a buscar a la salida de la fábrica. Excitados como estaban Romerito no lograba entenderlos.

—¡Santiago, lo hicieron! —creyó que le decía Victorio.

—¿Qué hicieron?

—Tomaron… —pero no pudo continuar, el muchacho estaba como loco.

—¡Los sacaron! —aclaró o creyó hacerlo Dante, que tenía el cuello enrojecido.

—¿Tomaron o sacaron?

Entonces le tendieron el diario. "Deposición del gobier-

no ruso por un golpe de Estado, los maximalistas dueños de
la situación en Petrograd", decía el titular.

Victorio y Dante no entendieron la reacción de
Romerito: no esperaban que se pusiese a gritar, era un hombre reservado, pero estaban seguros que les improvisaría un
discurso allí mismo. Sin embargo, sólo les dijo que tenía que
hacer algo y los despidió lo más rápido que pudo. Ante la
insistencia les prometió que sí, que iba a ir al local, que se
quedasen tranquilos.

Eran las cinco de la tarde, una leve garúa caía sobre
Buenos Aires; Santiago Romero caminó sin rumbo durante
tres horas. Recordó al colono Bulzani hablando en el Comité
de Huelga, al bueno de Ángel Busjarrábal ocultándolo en su
negocio; a Victorio Martínez Cruz, el patrón de su madre; a
la bellísima Jeanne, la amada institutriz francesa. Reconstruyó en su mente el momento en que el doctor Juan B. Justo le
había encargado que fuese a Alcorta para apoyar el movimiento de colonos. Pensó en su madre, que después de una vida de
trabajo y escasas esperanzas se había enamorado. Hacía ya
unos años vivía con don Segundo que, como le había prometido, había sabido cuidarla. Reconstruyó en la imaginación la
muerte del cabo Gómez, su abuelo, muerto por las balas de
sus compañeros de armas, los mismos que él había salvado en
Curupaití.

Durante tres horas Santiago Romero caminó en soledad,
entre pequeñísimas gotas de agua transportadas por el viento,
desmenuzando una a una las imágenes que le venían a su
memoria.

A las siete de la tarde Mario Pietrasanta entró en el bar
La Raspa para encontrarse con sus amigos, esa noche tocaban
en la sociedad de fomento La Estrellita. Media hora después
arribaron Rebeca y David y a las ocho de la noche llegó

Romerito, el santafecino tenía un pucho en los labios y una sonrisa que no le entraba en la cara.

Epílogo

Los sucesos de noviembre de 1917 en Rusia fueron al mundo lo que los de octubre de 1945 a estas pampas. Aunque de muy diferente raíz, a partir de ambos todo debió redefinirse en referencia a ellos, y ya nada fue igual.

Ambos tuvieron guardianes, mistificadores, maledicentes, además de acusadores, defensores e infamadores; panegiristas, aduladores, vigilantes, detractores, custodios, devotos, vaciadores, carceleros y protectores.

Ambos tuvieron pocos críticos sinceros y prudentes.

Las líneas invisibles del suceder de la historia las hacen los anónimos innominados, pero pronto se mal escribe su crónica con nombre propio. Surge entonces la engañosa costumbre de creer que la historia la hacen los líderes.

Es inevitable. Hasta que se entienden los motivos reales y ocultos, una vez que las pasiones dejan caer la corteza y la miscelánea, lo superfluo y la mentira. Siempre es necesario el tiempo para poner las cosas en el lugar adecuado, para construir la verdadera historia.

Los actores de esta crónica no habitaron las páginas de los textos; hasta aquí han usufructuado de un feliz anonimato. Pero ahora, que por desgracia ya no están con nosotros, es justo y necesario traerlos a la memoria.

Rebeca y David se dedicaron a la enseñanza de sus instrumentos y obtuvieron reconocimiento en el ambiente de la música clásica de la gran ciudad puerto. Tuvieron tres hijos, dos mujeres y un varón.

Mario fue un insobornable dirigente gremial que llegó a la dirección de su gremio. Tuvo con su amada Franca dos hijos varones; uno de sus nietos, en su honor también llamado Mario, engrosó la lista de detenidos desaparecidos de la dictadura de 1976.

Santiago Romero fue un político inclaudicable, una década después de los acontecimientos aquí malamente narrados, puso sus mejores esfuerzos en el estudio de la historia. Publicó como historiador cinco libros, vengando así la ignorancia secular de su familia. Permaneció felizmente soltero hasta su muerte, ocurrida en la década de los setenta.

Rebeca y David observaron los sucesos de Rusia con interés, ya con aceptación, ya con recelo. Les tocó mejor suerte que a Mario Pietrasanta y a Santiago Romero. Éstos, como militantes socialistas, debieron tomar partido, delante de ellos las aguas se abrieron y la unidad se perdió. Como era de temer no opinaron de igual manera y mantuvieron fuertes disputas. Pero, más pudo entre ellos el amor y la complicidad. Y la sabia prudencia. Y la indispensable utopía. Así fue, hasta el final de sus días.

La banda *Los Xeneizes* siguió tocando, no carente de éxito, hasta bien entrados los años sesenta. Hicieron dos grabaciones fonográficas que lamentablemente, hasta la fecha, se hallan extraviadas.

Índice